七人の敵がいる

加納朋子

集英社文庫

目次

本文デザイン／大久保伸子
本文イラスト／ノグチユミコ

七人の敵がいる

第1章

女は女の敵である

1

教室には、息が苦しくなるような沈黙が、どんよりと濃密に漂っていた。

山田陽子《やまだようこ》はちらりと腕時計の文字盤に視線を落とす。もう丸々三十分が、ただ無為に過ぎている。いや、三十一分、三十二分……。

誰も何も言わない。顔を上げようとさえしない。

陽子は小さく舌打ちをした。六時には絶対外せない会食があるってのに。一度会社に戻ってそれから出掛けて……間に合うだろうか。本当にイライラする。まさしく時間の無駄。

舌打ちの音は思いの外《ほか》響いたらしく、幾人かの母親がぴくりと身じろぎをし、そのうちの仲良しらしい二人が顔を見合わせた。鏡の像と実像みたいに、憎々しげな表情が浮かんでいるのを陽子は見逃さない。それは互いに向けられたものではない。あくまで、共通の敵、陽子に対しての強烈な憎悪だ。どうでもいいが、服装から髪型まで、笑っちゃうくらいに似通った二人でもある。事前にとっくり打ち合わせでもしたんだろうか。

バッカみたい。あの二人、幼稚園から引き続きのママ友ってやつね。何が、『二人一緒ならいいですけど』よ。大の大人が仲良しごっこやってるんじゃないわよ。

時は、四月上旬。場所は公立小学校一年一組の教室。集まっているのは担任教師と児童の保護者たち総勢二十数名。性別は、大人は百パーセント女。あとは道具入れの棚によじ登る男児に、入り口の引き戸をガラガラガラガラ果てしなく開け閉《た》てする男児、母親に「ねーまだおわらないのー」と声高かつエンドレスで尋ねる女児。いずれも未就学児童。さらには床を這《は》い回る乳幼児に、母親の腕の中で泣き喚《わめ》く赤ん坊各一名、彼らの性別は不明。その上待ちくたびれた一組の児童らが、しょっちゅう中の様子を窺《うかが》い、「まーだー?」と不満の声を上げている。いっこうに気にせず廊下や校庭で大騒ぎして遊んでいる児童もいる。「おなかすいたー」と叫んでいるのは、さてクラスの児童か下の弟妹か。

一言でいって、カオスな情況である。

何しろ一人息子が入学して最初の保護者会だ。どれだけ仕事が忙しかろうが、職場と学校とが離れていようが、出席してやりたいと思った。先生の人となりも知っておきたい。他の保護者と顔を合わせておけば、後々、役立つこともあるだろう……。

そう考えて、無理やり仕事を抜けてきた。学年会の後、一時四十分スタートで、移動時間を考えても夕方五時半までに社に戻ることは余裕……の、はずだった。

それがもう、四時をとっくに過ぎている。

さっさと済ませて戻る気でいた陽子としては、頭を抱えるような事態だった。だがしかし、この情況を作り出した原因の一つに、陽子の言動があったことは紛れもない事実であった。


実に迂闊《うかつ》な話だったが、新学期最初の保護者会がどんな意味を持つか、陽子はまったくわかっていなかった。先生の挨拶を聞き、これからの学校生活のことなどを聞き、あとはせいぜい、保護者同士の自己紹介くらいだろうと、軽く考えていた。

たしかにそれらはあったのだけれど、ほんの二十分ほどで終わってしまった。そして本題は、そこからだった。

この集まりは、PTAの運営委員二名、並びに学級委員二名、そして各種係を割り当てるための会合だったのだ。それらすべてが決まるまで、誰一人脱落を許されない過酷なレースなのであった。

「……どなたか、立候補してくださる方はいらっしゃいませんか?」

新卒でこそないけれども、陽子より確実にひと回り以上は若そうな先生は、にこやかに言った。けれどそれに応《こた》える保護者はなく、教室内は(幼い子どもが立てる音は別にして)しんと静まりかえった。

当たり前だと陽子は思う。誰だって、それぞれの生活で忙しい。こんなボランティアみたいなこと、自分以外の誰かがやってくれるなら、それに越したことはないのだ。

先生は曖昧《あいまい》に微笑み、それから保護者達の顔を順々に見ていった。その動きが、なぜか陽子のところでぴたりと止まる。低学年用の小さな机は、黒板に向かってコの字型に並べられ、個々人の前には厚紙を三角に折った簡易ネームプレートが置いてある。書いてあるのは児童の名だ。その名字部分を読み上げるような感じで、先生は言った。

「――山田さん、いかがですか？」

後から考えれば、これが年若い先生の、致命的で大きな失敗だった。

しばらく陽子は無言だった。そこに他意はない。純粋に、自分のことだとは思わなかったのだ。陽子は仕事では旧姓の小原《おはら》を使い続けている。そして会社員である以上、その名を名乗り、またその名で呼ばれる時間が圧倒的に長い。「山田さん」という呼びかけには未《いま》だに、クロークで他人のコートを手渡されたくらいの違和感があった。役所だの銀行だのでよく見る、書類の記入例の名前……ナントカ花子だの、カントカ太郎だの。そうした名前と同じくらい、結婚後の自分の氏名は無個性だと思う。本音を言えば、戸籍上の姓を変えることには抵抗があった。けれど夫婦別姓はまだ認められていないし、それを理由に事実婚をするほどの確固たる思想があるわけじゃなし、何より夫となる人が、結婚すれば女は自動的に男性側の姓を名乗るものだと天から信じて疑っていなかったために、小原陽子は山田陽子となった。別にそれが嫌だとか後悔しているとかいうわけじゃない。ただ、未だに違和感が拭《ぬぐ》えないだけだ。

だからその時も、最初のうちは他人事《ひとごと》だと思っていた。次いで皆の視線が集まっていることに気づき、「なんで？」と思った。

実のところ、先生が真っ先に陽子に目をとめた理由について、思い当たることはないでもない。人から「キツい感じの美人」と評される容姿に、仕立ての良いパールホワイトのスーツ。上品ではあるけれども光沢のある生地で、どちらかといえばナイトシーンに向いたものだ。インナーは藤色のシルクキャミ。ノートパソコンだの仕事用の資料だのがぎっしり詰まった大振りのショルダーバッグは、シャンパンゴールドに輝いている。

教室に入った瞬間に感じたことだけれど、春先にもかかわらず黒とか紺とかグレイとか、せいぜいモスグリーンとかの母親達の中で、陽子は一人、ネオンサインみたいに浮いていた。

今夜の会食のためにきちんとした格好でいる必要があったのだが、同じスーツでもダークな色を選んで、後から小物で華やかにするべきだった……と思ったけれども今さら遅い。

その場に集まった保護者のほぼ全員が、一度は陽子に目をとめたように思う。そして同時にほぼ全員が、陽子との間に薄い膜を張った、ようにも思う。とはいっても別段悪意を伴ったものではない……この時点では。ただ、「あの人は別の世界の人」認定をされたというだけのことだ。

さて、先生から名指しで「いかがですか？」と尋ねられた陽子だったが、二つ返事で引き受けるわけにはもちろんいかない。

だから、くっと顔を上げて言った。

「無理ですね」

あまりといえばあまりににべもないその断りように、教室の中はしんと静まりかえった。視線が集中したのを受けて、陽子は少し補足する気になった。

「と申しますのは、私は仕事をしておりますので、具体的な内容もわからないままお引き受けするような無責任なことはできかねますということです」

「あ、それでしたら入学式のときにお配りしたＰＴＡのマニュアルが……」

先生が言いかけるのを、陽子はぴしゃりと制した。

「一通り目を通しましたが、肝心の、拘束日数、拘束時間などが書かれていません。それに今ここで運営委員に決まったとして、運営委員の中のどの役職になるかは、委員会に出席してから決定というお話ですよね。くじ引きで決まることもよくあるという話も聞きました。その時になって執行部に入って下さいと言われましても、事実上不可能です。ですから今のうちに、ご辞退しているんです」

早口にそう並べ立て、後から考えれば余計だったかもしれないと陽子自身思った一言をつけ加えた。

「——そもそもＰＴＡ役員なんて、専業主婦の方じゃなければ無理じゃありませんか？」

思えばそれが、その場にいた保護者の多くを敵に回した瞬間だった。

2

「……あの私、上の子の時に運営をやりましたけど、働いているお母さん、たくさんいらっしゃいましたよ」

若干硬い声で、真正面に腰かけた保護者が言った。

「働くと言っても、色々ですからね」軽く微笑んで、陽子は言った。場の空気が悪くなったのを察知して、それを少しでも和らげるために敢《あ》えて作った表情だったが、その後に続けた陽子の言葉と共に、却《かえ》って逆効果だったかもしれなかった。「パートや自営の方でしたら、時間のやり繰りもできるかもしれませんが」

「パートだって簡単に休めるわけないじゃないですか」憤然とした面もちで、別の保護者が言った。「有休だってほとんどないし、ＰＴＡだからって休んでばかりいたらすぐにクビになっちゃいますよ」

「それに……」赤ん坊を抱いた保護者も言い出した。「今は働いているお母さんが多いんですから、仕事してるっていうのは言い訳にならないですよ。専業主婦ばかりに押しつけられても困ります。うちみたいに下の子が小さかったり、介護されてる方もいらっしゃるんですよ」

伏し目がちに小さい声で、哀れっぽく言う。決して陽子と目を合わせようとしないが、敵意だけはしっかり伝わってきた。陽子は相手を真っ直ぐに見据えて、再度笑みを浮かべた。

「あら、でしたら旦那様にやっていただくしかないですよね」

相手はぎょっとしたように顔を上げた。

「何言ってるんですか、主人にできるわけないでしょう」

「ご主人、会社員ですか？　でしたら、できない理由は私と同じですよね。男も女もないと思いますが」

相手はぐっと黙り込んだが、陽子の言葉に納得したわけでないのは、その表情から明らかだった。

「そうは言っても」別な保護者が発言した。「現実に一児童につき役員二度という決まりがあるわけじゃないですか。みんながあなたのようなことを言い出したら、ＰＴＡなんて成り立たないじゃないですか」

「成り立つ必要があるんですか？」ごく冷ややかに陽子は言った。「見たところ、いらない仕事もずいぶんあるみたいですけど？　整美委員の花壇の世話なんて、なんで保護者がこんなことする必要があるんです？　成人委員の保護者向けレクリエーションだって、平日の昼間から保護者が集まってお茶会？　フラワーアート？　そんなのに集まれる暇な方が役員をやればいいんじゃありません？　他にも、教室で使うカーテンの洗濯だとか、七夕の笹の運搬だとか、子どものためなら必要ないとは言いませんけど、余計な委員や行事を削って、その分の予算で専門業者に頼めばいいだけの話じゃないですか」

立て板に水でそうまくし立てる陽子に、一同目をむいている。先生は驚いたように言った。

「あの、お子さんのためにできる限りのことをしてあげるのが、親御さんの喜びというものじゃありませんか？」

「そんなことで自己満足できる方にはそうでしょうね」

皮肉たっぷりの切り返しに、先生は目を白黒させた。

「あ、あの、山田さん、他の皆さんにもお聞きしたいので……」

最後の方が何かごにょごにょしていて聞き取れなかったけれど、要はもう黙っててくれと言いたいのだろう。そう受け取り、陽子は軽く腕組みをして会の成り行きを睥睨《へいげい》することにした。

あの、あのと、またつぶやいてから先生は続けた。

「保護者の皆さんがお忙しいことは重々承知しております。けれど、どうかご協力をお願いしたいんです。お子さん方が安全で楽しい学校生活を送るためにも、PTAはなくてはならない存在なんです。お子さん方にも、お母様方が学校で頑張ってらっしゃる姿を見せることは、とても大事じゃないでしょうか。実際、特に新一年生は学校生活にも慣れてなくて、とても不安に思っている子も多いかと思います。そんなとき、学校でお母様を見かけたら、子どもたち、大喜びですし、とっても安心します。これが高学年になってしまうと、『お母さん、学校に来ないで』なんて言われちゃいますよー」

お終《しま》いの部分で、先生がおどけた口調で言ったこともあり、母親達はクスリと笑った。場が少しほぐれたのを見て取り、先生はさらに言う。

「あの、それにですね。学年が上がっていきますとやっぱり、色んなご事情でできないとおっしゃる方が増えるんですよね。でも、無理してでもやって下さる方もいらして、そういう方からしたらやっぱり納得できませんし、役員決めがちょっと、あのですね、嫌な雰囲気になってしまったり……するんですよね。最終的にはくじ引きになってしまったり……やっぱりお仕事されている方には運営委員は無理だってことで、後でもめることになったり……それくらいでしたら、たとえば学級委員さんでしたら、打ち合わせの日程やレク日をご自分達で決められたりしますので、お仕事されてるお母さん方がたくさん協力してくださっているんですね、ですから……」

若い先生が、必死に説明するのを見て、陽子は少しだけ気の毒になった。

その時、かすかな「せーの」と言う声と共に二本の手が挙がった。

「あの、私たち」

一人の母親が言い、その隣に座った別な母親がひきとった。

「学級委員、やります」

服装から髪型から、やけによく似た二人だった。

「あ、助かります……」

ほっとしたように先生が言うのにかぶせて、陽子はすっと右手を挙げて発言した。

「私も、学級委員でしたらやってもいいですけど」

先生の言うことにも、一理あると思ったのだ。ＰＴＡが事実上の義務だというなら、先延ばしにして後で厄介なことになるより、さっさと済ませてしまった方が得策かもしれない。

そう考えて挙手したのだが、なぜかまた空気が凍っていた。

一緒に手を挙げた二人が、ものすごい顔でこちらを見ている。陽子は「なんで？」と本気で首を傾《かし》げた。

「あの、あの」つぶやくように先生が言う。「学級委員さんの定員は二名ですので、希望者が三名ということでしたら、クジを引いていただくことになりますが……」

「そんなっ。私たちの方が早かったのに」

「あら、役員決めって先着順だったんですか？」

陽子のその言葉に他意はない。二人の保護者があからさまに理不尽だという顔をしている理由について、それしか思いつかなかったのだ。

「あの、別にそういうわけではありませんが……」

歯切れ悪く、先生は言う。

「でしたら、他に希望者がいないようでしたら早くクジを引かせてもらえますか？　このあと仕事がありますので……」

「それなら私、やめます」

「私も」

相次いで二人が言った。

「え、どうして？」

突然のことに陽子は面食らった。だが、憤然とした口調で返ってきたのは、さらに面食らうセリフだった。

「和ちゃんママとは仲良しだから……二人一緒ならいいですけど、知らない人とお仕事なんてできません」

アホか、と思ったけど、周囲を見わたすと皆、気の毒そうに二人を見ている。また、ちらちらと陽子に向けられる視線は、明らかに非難を含んでいた。今の場合、完全に陽子が「悪」だった……信じられないことに。

本当に信じられない。何をこの人達、甘ったれたことを言ってんだか。子どもか？　トイレまで一緒に行く、小学生女子か？

これだから専業主婦ってやつは。これだから女ってやつは。

苛立《いらだ》ちと侮蔑《ぶべつ》が、モロに顔に出たのだろう。二人組の表情が、ますます硬くなった。いや、他の保護者達の顔も、それに劣らず硬い。そして陽子に向けられる視線は冷ややかだ。陽子はごくごく短時間で、一クラス三十名いる児童の保護者のうち、その場にいる二十数名の母親達を見事敵に回してしまっていた。

異様な空気におびえたのか、赤ん坊がぎゃっとばかりに泣き出す。退屈した幼児達が騒ぎだす。なのに母親達は一言も発しない。無論、手を挙げる人もいない。

まさに、混沌だった。

そうして信じられないことに、そのまま三十分経ち、一時間経ち、そして二時間以上がただ無為に経過したのである。

何たる馬鹿げた時間のつぶし方。私は忙しいのに。無理やり仕事を抜けてきたのに。六時から会食があるのに。その前に社に戻ってやっておかなきゃならない仕事もあるのに。

——付き合ってられるかっての。

しびれを切らした陽子は、カタンと椅子を鳴らして立ち上がった。

「私はこれで失礼させていただきます。大事な仕事がありますので」

低い声でそう言うと、二人組のうちの一人が甲高《かんだか》い声を上げた。

「信じられない。このまま放っておいて、先に帰ろうって言うんですか？」

「埒《らち》があきませんので。あ、学級委員は辞退させていただきます。そうすれば、あなた方お二人で仲良く仕事できますよね？」

にっこり笑ってそう言い捨て、足早に教室を後にした。もう本当に時間ギリギリで、学童保育にいる息子の様子を見る暇さえ、陽子にはなかった。

数日後、息子の陽介《ようすけ》から聞かれた。

「ママー、モンぺって、なにー？」

「へ、モンペ？　それは昔の女の人の、ズボンのことだけど……そんな言葉、どこで聞いたの？」

あまりに不思議で尋ねると、陽介はしばし考え込む素振りを見せた。

「えっとね、クラスの子がね、山田君のママはモンペだって言ってた」

「……ふーん。変なこと、言うねー」

まるでわけがわからなかった……そのときには、まだ。

3

「――モンスター・ペアレントのことでしょ、それ。略してモンペ」

そう言って、玉野遥《たまのはるか》は人の悪い笑みを浮かべた。

「何よ、それ」

瞬間ムカッときて、陽子は言う。

「あれ、知らない？　ドラマとかにもなったじゃない」

「いやその言葉は知ってるけど、何で私がモンスター・ペアレントなのよ」

学校に理不尽なクレームをつける親が増えているというのは知識として知っている。

しかし陽子には、学校に文句なんて言った覚えはさらさらなかった。

「あれ、もうけっこー有名だよ、一組の保護者会騒動は。あれの首謀者って、あなたでしょ。話聞いて、すぐぴんときたわあ」

遥はふっくらとした肩を揺すって、おかしそうに笑った。

遥はいかにも〈肝っ玉かあさん〉的な風貌をした、陽子と同年配の看護師である。陽介が保育園に通っていたとき、子ども同士が仲が良かったから、互いの家を行き来したこともある。今はクラスが分かれてしまったが、学童保育では一緒に遊んでいるらしい。おかげで心配していた学童保育への拒否反応もなく、陽子としてはほっとしている。

「ちょっと待ってよ。首謀者って何？　事件の犯人じゃあるまいし……」

憤然と抗議したら、涼しい顔でかわされた。

「あら、知らないわよ。ただ、他のクラスは一時間くらいで終わったのに、一組だけ異様に長引いたんでしょ。それで、愚痴ってた人がいるらしいのよ。『あの人ナニサマのつもりかしら、おかげでこんなに遅くなっちゃったわー』みたいな感じで。あ、うちの母から聞いたんだけどね。風香《ふうか》の話じゃ、おばあちゃんがお迎えに行くずっと前から、一組のお母さん二人でずいぶん盛り上がってたらしいわよ」

風香ちゃんは遥の長女で、新三年生である。こまっしゃくれた女の子で、よくしゃべる。そして大人の話をびっくりするくらいよく聞いている。

「……うわーっ」

陽子は思いきり顔をしかめた。

「それ、うちの姑《しゅうとめ》が聞いてたりしないかな」

遥と同じく保護者会後に即仕事に戻った陽子は、近くに住む義母にお迎えを託したのだ。子どもを預けてフルタイムで働く場合、父母どちらかの親の手助けは、必要不可欠なのである。

「そんなことよりも、もっと心配しなきゃいけないことがあるんじゃない？」

遥は丸いアゴを入り口の方に向けた。ひとかたまりになった保護者が入ってくるのが見える。そのうちの二人が、陽子を見て明らかに表情を硬くしたのだ。

「あれって、一組のお母さんでしょ、きっと」

遥の言葉に、陽子はさすがに少し肩を落とした。なんだかまた面倒なことになりそうな……。

「たぶん……よく覚えてないけど」

少なくとも、保護者会にいたママ友コンビとはまた別な二人組だ。

「向こうはばっちり覚えてるみたいねー」

完全に騒動を楽しんでいる。

この日は土曜日で、学童保育で新一年生の歓迎会が行われる予定だった。子どもを預ける親としては、何を置いても出席しなければならない——たとえ、ここのところの激務で帰宅したのが深夜、いやむしろ早朝と言えるような時間帯だったとしても。

もちろん夫はおかんむりで、女をそんな時間まで働かせる会社はおかしいと言われた。

今回に限らず、もうずっと言われ続けている。こんな時間にタクシーで帰ってくるのは、特定業種の女だけだ、とも。そう言えば、タクシーの運転手からよく聞かれた。

「お姉サン、どこのお店?」と。

ただし最近は、そう聞かれる頻度もぐっと減っている。

そんなことはさておき、陽子は睡眠の足りていない状態で、子どもたちと共に歌を歌い、お遊戯めいたゲームに参加し、一年生がずらりと並べられたときには写真を撮ってみたりもした。やっていることは保育園の延長で、陽介もごく楽しそうにしている。だから陽子も嬉《うれ》しくはあったのだけれど、睡魔と疲れも、着実に増大しつつあった。三年生の女の子三人が終わりの言葉を述べたとき、ああこれで家に帰れる、息子を夫に託して仮眠が取れると、心からほっとした。

が、直後に指導員の先生は言った。

「ではお母さん方、この後は父母会になりますので」

てきぱきと椅子を並べ始めている。別な指導員は子どもたちを運動場へ誘導し始めた。ドッジボールをやるのだという。

「何?」

陽子が首を傾げると、遥はひょいと肩をすぼめた。

「役員決めよ……父母会の」

「え……またそんなのあるの」

思わず眉を寄せてしまう。

「あるのよ。保育園のときにもあったでしょ。あなたは一度もやってないけど」

さらりと言われて、陽子はぐっと詰まった。

「……よくそんな、人のことまで覚えてるわね」

「そりゃ、やってない人は忘れるわよ。でもね、嫌々役員を引き受けた人は、『あの人やってない』ってのをずーっと覚えてるもんよ。やらない人は絶対、何が何でもやらないでしょ。で、断り切れない人はあれもこれも引き受ける羽目になって、そりゃ、面白くないわよ。不公平だなって思うよ。だって役員さんがお世話した行事だの何だのって、恩恵だけはしっかり受けるわけでしょ。そういう不満ってのは子どもたちにまでけっこう伝わっちゃうものよ。現に陽介君、モンぺがどうとか言われちゃってるじゃない。可哀想だと思わない？　とにかくさ、ＰＴＡと違ってこっちはみんな立場同じなんだからね」

小声で一気に言われ、陽子はとっさに反応に困った。

どうやらぐいぐいと釘を刺されているらしい、というのはわかった。一応、陽子のことを（むしろ陽介のことを？）心配してくれているらしい、ということも。

遥はずけずけものを言うタイプだが、陽子にはむしろそれがありがたい。やたらともってまわったり、オブラートが過剰包装だったり、陰《いん》にこもったりといった、女同士にありがちな会話は、陽子の最も苦手とするところだった。

だから内心、皆立場は同じといっても、夜勤のある遥や、ほぼ半徹で仕事をしてきた陽子と、週三回のパートのみの人とでは、やっぱりどう考えても違うでしょと思ったのだけれども、口に出して言うことはしなかった。

「……本日はお忙しい中、お集まり頂きましてありがとうございました」

指導員のリーダー格らしい先生が挨拶を始めた。車座に腰かけた父母が、さっと会釈する。父母会というだけあって、父親の姿もちらほらと混じっていた。それだけで、先の保護者会とはずいぶん雰囲気が違う。

雰囲気が違う理由は他にもあって、集まっているのは新入生だけではなく二年生、三年生の保護者も含まれている。それなりにきちんとした服装の一年生保護者と比べ、ごくラフな格好をしているし、なによりリラックスした雰囲気から大体の区別はつく。遥はもちろんリラックス組だし、陽子は……果たしてどう見られているのか、自分ではわからない。

保護者達を観察するうち、通過する視線が二度ほど、瞬時に作ったような笑みに迎えられた。覚えてはいないけれども、おそらく保護者会で一度会っているはずのお母さん二人。確かに口許《くちもと》は笑っているのに、眼は決して笑っていない。すごく義務的に浮かべられた笑顔に見えた。

ああ、と思う。入り口での様子から、好かれちゃいないとは思っていたけれど、これは明らかに嫌われている……はっきりと。

その間にも、指導員の説明は続いている。

「……そういうわけで、お子さん方が安全で楽しい時間を過ごすためにも、親御さん同士の親睦を図るためにも、お父さんお母さん方のご協力とご理解が必要なんです」

うわー、つい最近も同じようなことを聞いた気がする。だけど子どもはともかく、親同士の親睦なんて必要ないでしょ。仕事で忙しいから子どもを預けてるわけで。休みをつぶしてレクリエーションなんぞに参加するくらいなら、家族だけで親子間の密なコミュニケーションを図りたいわけで。

ついついそんな批判めいた感想が、むくむく頭をもたげてくるけれども、しおらしく下を向いて黙っていることにした。さっき遥から言われた「陽介が可哀想」という言葉が、実はチクチクと胸に刺さっている。

今までずっと勝ち気な性格で通ってきて、強気な人生を送ってきて、いざとなれば喧嘩上等くらいの心構えで事に当たってきた陽子だが、その火の粉が子どもに飛んでしまうかもしれないと思えば、さすがに怯《ひる》むものがある。

ついこの間まで……保育園のときまでは、親が園まで送り届けるのが当たり前のことだった。それが四月からは、小さい体には大きすぎるランドセルを背負い、「行ってきまーす」と出て行く。その後ろ姿をもう何度も見送っているはずなのに、未だに胸がざわめく。ちょろちょろと車道へ歩き出して車にひかれやしないか。散歩中の大型犬に不用意に手を出して噛まれやしないか。変質者に連れ去られやしないか……。

自分が側《そば》についてさえいれば、車や自転車からは守ってやれるし、犬とだって変質者とだって闘ってやる。

けれど現実は、陽介はたった一人、二十分の道のりをてくてく歩いていく。信じがたいことに、登校班というものがないのだ。遥に聞いたところによると、集合時間を守らない子が多数いたり、子ども同士のいざこざや仲間はずれなどのトラブルが後を絶たず、親子共々不平不満が爆発した結果、いつしかシステム自体が消滅したのだと言う。

『昔はさー、リーダー格の上級生がきっちり班をまとめてたでしょ。お母さんの言うことは聞かないきかん坊でも、登校班の班長さんの命令には従ったり。でも今は、そういうリーダーシップのある子って、絶滅寸前なのよね』

遥はそんなことを言っていた。その言葉に、陽子自身が小学生時代、〈鬼の登校班長〉などと呼ばれていた過去を思い出したりもした。集合時間は絶対厳守で、少しでも遅れようものならビシビシ叱りつけ、全員の時間割を把握して忘れ物を指摘し（今日は図書の本を返す日でしょ、とか）走って取りに帰らせた。おかげでお母さん方からは感謝されたけれども、あれはリーダーシップではなく恐怖による支配だったよなと自分でも思う。大昔から、そういうやり方ばかりしてきた自覚もある。

小学生の保護者という立場で、それまでの生き方を貫くと、どうも差し障りがあるらしい……ということを、遅まきながら陽子は悟りつつあった。

同性から嫌われ、異性から煙たがられることには慣れている。好きでもなく、何の利害関係もない人から嫌われたって、今までの陽子なら痛くもかゆくもなかった。

けれど今や、陽子一人の問題ではない。自分の母親が〈モンペ〉なんて陰口を叩かれることに、陽介が胸を痛めるようになったら？　それが理由で、苛《いじ》められるようなことにでもなったら？

それはさながら、自分が鉄の鎧《よろい》を着ていると安心していたら、背中に大穴が開いているのに気づいてしまったような心許なさだった。

陽子がかつてない思いに当惑している間も、指導員は慣れた口調で説明を続けている。

「……ですから、在籍される三年間のうち、最低一回は役員をしていただきたいんです」

うわ、またノルマきたよ。

げんなりして、そう思う。そして保護者会での轍《てつ》を踏まぬよう、背中を丸め、視線をぐっと落としてみる。なるべく目立たないよう、相手と目が合わないよう……。

しかし実際の進行は、保護者会とは様子が違っていた。

「会長はやっぱ、野口《のぐち》さんでしょ」

当然、という口ぶりで、一人の母親がいきなり言った。その途端、まるであらかじめ打ち合わせてあったみたいに、他の母親たちが「わー、賛成っ」と手を叩く。

野口さんというのはよく言えば人の好さそうな、悪く言えばのったりした感じの男性で、一見したところリーダーシップがありそうな雰囲気ではない。女性達からわっと囃《はや》されて、困ったような、しかし満更でもなさそうな表情で曖昧に笑っている。

「決まり決まりっと」

言い出しっぺの女性が、パンパンと手を叩いた。手早く一仕事終えました、という感じ。囃し立てた母親達も共犯者の笑みを浮かべていて、それで陽子はぴんときてしまった。

うわ、きったねー。女ってきったねー。この人たち、示し合わせて人の好いパパさんに体《てい》よく会長を押しつけちゃったよ。

「それでは野口さん、これから一年間、よろしくお願いします」

指導員までにっこり笑い、当の本人が一度も肯定しないまま会長は決定してしまった。

「……じゃあ、吉岡《よしおか》さん、副会長やってくれますか」

新会長は隣に座った貧相な男に言い、言われた方も「ああ、じゃあまあ、できる限りフォローします」とうなずいた。すかさず歓声と拍手が起きる。これでトントン拍子に会長、副会長が決まった。女は男を祭り上げ、男は男を引きずり込む。

なんともいえない光景である。

「それでですね、他の役員につきましても、三月中に二、三年生のお父さんお母さん方にご希望を伺っているんですよ」てきぱきと指導員は話を進めていく。「実はもうかなり埋まっていまして、あと新入生のお父さんお母さん方にお願いしたいのは、えーっと、書記が一名、父母連協が二名……」

「あの、書記って議事録を取るだけですか？」

母親の一人が質問した。

「はい。こちらの学童保育では、年によって違いますがだいたい六、七回のイベントを主催しています。今日の新入生歓迎会もそうですし、先月は卒所お別れ会、一月は新年餅つき会、あとはクリスマス会とか、年に二回の親子遠足ですとか。そのイベントの準備の為の会議の議事録ですね。あとは役員さん全員に言えることですが、必要なものの買い出しや当日の準備なんかもお願いしています」

役員は当然、イベントは欠席しづらいだろう。そして事前の企画会議に、買い出しに……結構大変かもしれない。

考え込むうちに、先の質問者が再度言った。

「あ、じゃあ私、書記やります」

「助かります」

この短いやり取りで、書記決定。

どうしよう……陽子はなおも考えていた。学童保育のイベントは、基本的に土曜日にある。働いている保護者が参加できるのは週末に限られるし、日曜は指導員の貴重な休日であるため、必然的にそうなるらしい。だが陽子の仕事は土日に必ず休めるとは限らない。スケジュールが押して土日返上なんてことはザラだし、飛び込みで出張が入ったりもする（夫に言わせれば、この辺りも『信じられない』そうなのだが）。

小規模とはいえチームを組んで動く以上、無責任なことはしたくなかった。けれど遥に言われたように、立場は皆（一応）、同じである。在籍を許される三年のうち、一度は役員をやらねばならないのなら、多少無理をしてでも今回やっておくのも手ではある。何しろPTAの方も二回はやらなきゃならないという話だし……。

そこまで考え、陽子はさっと顔を上げた。やります、と手を挙げかけたとき、別な二本の手が挙がった。

「私、やります」

「私も」

同じクラスのお母さん二人だった。出遅れた、とばかり陽子も手を挙げようとして、その袖を引かれた。見ると、遥が小さく首を振っている。とまどっているうちに、指導員が言った。

「ありがとうございます。これで、今年度の役員さんがすべて決定しました。これから一年間、どうぞよろしくお願いいたします」

パチパチと、テンポのずれた拍手。

「本日はお忙しい中、ありがとうございました。申し訳ありませんが新役員の方は旧役員より引き継ぎがありますので、そのまま残っていて下さい。それではこれで散会とさせていただきます」

指導員が微笑みながら頭を下げ、びっくりするくらいスピーディに役員決めは終了してしまった。

「さすが無駄がないわね、時間が貴重だってことをみんなわかってる」立ち上がりながら陽子は傍《かたわ》らの遥にささやいた。「こないだの保護者会は何だったのって思うわー」

遥に呆れたように返された。

「あなたが言わないの」

え、と首を傾げる陽子をよそに、遥は窓の外を見やってやれやれという仕種《しぐさ》をした。

「子どもたち、当分帰ってくれそうにないなあ……」

見ると運動場のはるか遠くで、男の子たちが大はしゃぎでじゃれ回っている。ドッジボールからそのまま、自由遊びになっているらしい。ブランコで遊んでいた女の子たちは、帰宅を呼びかける母親に応じてこちらへ駆け寄ってくる。が、男の子たちは自分らの遊びに夢中だ。こうして見ていても、男女は幼い頃から明らかに違う生き物だと陽子は思う。

仕方なく、子どもの荷物をまとめてスプリングコートを羽織り、外に出た。疲れと眠気で座り込みたいのをこらえ、学童保育所の薄い壁により掛かる。遥が傍らに荷物をどさりと置き、よっこらしょとしゃがんだ。やはり疲れているのだろう。

しばらくぼんやりと子どもたちを眺めていると、ふいに思いがけない方向から声が聞こえた。

「さっきヤバかったよねー、山田さん、完全に手、挙げかけてたよねー」

「ホント、止めてくれた人に感謝だよ。あの人と一緒に役員やりたくないから今年立候補したのにさー、ホント、どうしようかと思った。だけど同じこと、二度もやるかって感じだよねー。空気読めないにもほどがあるっての」

続くクスクス笑い。水道の蛇口をひねる音と水が流れる音が、直接背中に伝わってくる。

思わず遥と顔を見合わせた。すぐ上には、くもりガラスの小窓があった。換気のためか斜めに細く開いている。位置からして、そこには手洗いがあるはずだった。

「一組のお二人さんみたいね」

少し経ってから、遥がぽつりと言った。言葉もなく立ちすくんでいると、遥はよいしょと立ち上がり、腰をさすった。

「気づいてた？　あの二人、手を挙げる前に携帯メールで打ち合わせしてたでしょ」

「え？」

自分でも驚くくらいショックを受けていることに、内心うろたえながら陽子は首を傾げた。

人から嫌われる事なんて、敵を作る事なんて、慣れっこだったはずじゃない。あの二人から嫌われている事なんて、会が始まる前からわかってたことじゃない。

そう考えながら、遥の言葉を繰り返した。

「メールで打ち合わせって……」

「役員決めのときにはよく使われる手よ。ときには他のクラスのお母さんと打ち合わせしたりね。示し合わせて同じ係になろうとしても、希望者が多くてくじ引きになったりすることもあるでしょ。後から乱入してくる誰かさんみたいな人もいるし」ここで遥はからかうような視線を陽子に向けた。「だから、ね。絶対確実なときだけ、いっせいのせで手を挙げるの。気のおけない、仲良しグループだけで役員の仕事をするためにね」

「馬鹿馬鹿しい」思わず陽子は吐き捨てた。「だから女は……」

「嫌い？」穏やかに、遥は言う。「わかるよ。あなたは男が多い会社で、男と肩を並べて、男に負けない仕事をしているんでしょ。もちろん誰ともつるんだりしないで。それはすごいことだって、素直に思うよ。だけどね、私はどっちの気持ちもわかるんだよね。だってPTAにしろ学童保育の父母会にしろ、要するにボランティアじゃない。お金をもらってやる仕事じゃなくて、むしろ持ち出しみたいなことが多くて、貴重な時間も使って、色んな人に気も使って、その上自分の家族には我慢させたり迷惑掛けたり……全部タダでさ。やってらんないでしょ。だったら好きな人同士でワイワイ楽しくやった方が断然楽でしょ。それなりに合理的な考え方だと思うんだよね」

「――なるほどね」やや自嘲気味に微笑みながら、陽子は言った。「ひょっとしなくても私、息子のクラスのママをみんな敵に回した？」

「今さら何言ってんの。狼ってのは、羊の群れから見たら最初から敵でしょ」

「誰が狼よ」

力なく抗議しつつ、陽子は遠くで遊ぶ子どもたちを見やった。

他に考えなきゃいけないこと、大切なことは山ほどあるのに。なんだってこんなくだらないことに煩《わずら》わされなきゃならないんだろう。

これからの多事多難の予感に、出るのはため息ばかりだった。

悪い予感に限って、けっこうな確率で当たるものだ。

4

翌週、陽子は息子を送りだしてから、自らも身支度をして学校へ向かった。なんと給食費の集金係の日なのだ。

給食費の未納件数の増加については、ずいぶん前から問題になっている。息子の学校でとった対策は、保護者による手集金だった。口座引き落としをやめ、子どもたちに給食費を現金で持ってこさせる古い形に切り替え、金額のチェックと集計をクラス全員の保護者で分担して行うのだ。一クラス三十人で八月を除く全月半ばに、三、四名ずつのグループで順次集計作業をする。ということはつまり、誰か未納者がいた場合、クラス中の保護者にその事実が知れ渡る結果となる。これがけっこう、抑止効果を発揮しているらしい。

陽子にとって寝耳に水だったその「義務」については、保護者会を途中退出した後で説明がなされたらしい。そして集まっていた母親達に用紙を回し、希望月に名を記入させた、らしい。結果、陽子は初っ端《しょばな》の四月に決定した、らしい。その場にいなかった者としては文句も言えず、渋々学校に出掛けていった。入学式、保護者会、そして学童保育の父母会に続き、四月だけでも四度目である。しかも来週は授業参観だ。来月は来月で、運動会に授業参観に家庭訪問がある。行事多すぎ、何で授業参観が毎月あるのよ……などと一人廊下でぶつぶつ言っていると、声をかけられた。

「あの、山田さんですか？」

何だかおどおどした感じの、地味な女である。そうですがと応えると、相手はぎこちない笑みを浮かべた。

「あの、私、村辺真理《むらべまり》の母です。よろしくお願いします」

「こちらこそ」と短く返す。陽子は元来、初対面同士の会話であまり愛想を振りまく方ではない。これが仕事なら、キャンペーンガールみたいな笑顔を苦もなく浮かべることができるのだけど。

一方、村辺は沈黙が怖いタチらしい。いっそうぎこちない笑みを浮かべつつ、つんのめるようにしゃべり出した。

「あ、あ、あの、緊急連絡網とかって回って来すぎですよね。ＰＴＡ会費集金とか、総会出席の呼びかけとか、給食費集金とかいちいち、緊急でも何でもないのに、それだけ忘れる人が多いってことでしょうけど、でも電話代かかっちゃってすごい無駄、みたいな……」

「連絡網？」

陽子のこめかみがピクリと動く。

「え、いや、あの……」

「そんなの回ってきました？　何回も？」

「えと、確か、あの、三回くらいは……」

陽子のところには回ってきていなかった……一度も。

一度なら、いや百歩譲って二度ならまだわかる。流し忘れたり途中で止まったりといったアクシデントだってないとは言えない。だが三度となると……。

信じたくはない。信じたくはなかったが、意図的に連絡網の順番抜かしをされている。

陽子は仕事用のバッグから、学校用にまとめたファイルを取りだした。仕事中に回ってくることを想定して、ちゃんと連絡網のコピーを持ち歩いているのだ。

ちょうど今学校にいるんだし、先生にきっちり言ってやらなきゃ。

犯人捜しをするべく、四つに畳んだ紙を開いていると、ふいにスーツの袖を引かれた。

「おかあさん、きたね」

低い位置で、陽介がにいっと笑っている。心底、嬉しそうだ。それを見た途端、陽子の中の何かがくじけた。

今ここで騒ぎ立てるのは、陽介のためにならない……陽子はそう判断し、紙をしまった。

「ほら、朝会もう始まるよ。行っといで」

うん、とうなずき、とことこと走っていく。

「……それにしても五十嵐《いがらし》さん、遅いですね」

連絡網の一件は取り敢えず忘れることにして、陽子は本日の集金係三人目の名をつぶやいた。

「あー、あの人……来ないかも」

村辺が含みを持たせるように言う。どうやら知り合いらしい。だから二引く一で陽子のこともすぐにわかったのだろう。「来ないかも」の理由を聞こうとしたとき、目の前を金髪の少年が悠々と横切っていった。どう考えても大幅な遅刻である。

「あ、五十嵐くんよ」

やはり顔見知りらしく、村辺が教えてくれた。五十嵐少年は女の子みたいにきれいな顔をしているけれど、どう見ても日本人である。

（ヤンキーか）

陽子は内心で舌打ちした。それから少年の前方に回り込み「ね、お母さんは？」と尋ねた。少年はきつい眼でぎろっと陽子を睨《にら》み、「まだねてる」とだけ言ってさっさと教室に入ってしまった。

少しして、先生が飛びだしてきた。

「お母様方、朝早くご苦労様です。お待たせして申し訳ありません。五十嵐くんだけ忘れたということで、それ以外全員分集まっています」

そう言って集計セットが入った箱を手渡された。受け取って多目的室に移動しつつ、陽子は五十嵐家に携帯電話で連絡を入れた。しつこくコールをすると、ようやく不機嫌そうな応答があった。

「一年一組の山田陽介の母ですが」そう名乗ってから一応確認した。「あなた今ご病気ですか？」

「ご病気っつーか、二日酔い」

人を喰ったような、へらっとした返事があった。陽子は階段に響き渡る声で言った。

「今すぐ給食費持って三階の多目的室に来て。でなきゃ、お宅まで乗り込んでやるわよ」

サボるやつ、怠惰なやつが昔から大嫌いな陽子である。

「五十嵐さんとは幼稚園が一緒だったの？」

携帯をバッグに入れながら聞くと、村辺は首を振った。

「同じ団地なだけ。母子家庭って聞いたけど。結構有名。目立つし」

いい意味で有名、ということではなさそうだ。

「なに、どこの団地？」

「三丁目の公団」

「近いわね」

走ってくれば五分といったところだ。

多目的室に入ると、他のクラスはとっくに作業を始めていた。慌てて空いた机につき、集金袋の束を取りだす。出席番号順に袋の中身をチェックし、名簿に済み印を押していく。単純だが現金を扱うだけに、責任重大だった。しかも四月は全納が認められている為、金額もやたらと多い。

一組にはアで始まる名字の子はおらず、名簿の一番上には「五十嵐連音」の名があった。もちろんそこには済み印を押さず、飛ばしていく。

「これ、なんて読むの？　れんねくん？」

陽子の問いに、村辺は首を振った。

「確か、れのんって呼んでたような……」

わけもなくムカッときた。息子が保育園に通っていた頃、同じクラスに「のんのん」ちゃんがいて、どんな字を書くのかずっと不思議だった。「のん」と発音する漢字なんて「暢気《のんき》」の「のん」くらいしか思いつかない。それで機会があったので聞いてみたら、「音々」ちゃんだと言う。それじゃ「ねね」ちゃんだと思ったけど、もちろん相手には言わずにいた。

日本語は明らかに崩壊しつつある……近頃陽子は切実な危機感と共にそう思う。

黙々と作業を進めていき、最後に「念のためもう一度確認しましょう」と陽子が札を数え始めると、村辺が「え？」ととまどったような声を上げた。気にせず金種別に数えていき、やがて陽子の手が止まった。

「おかしい。五千円足りない」

村辺がまた、「え？」と首を傾げる。落ちたのかも、と陽子は机や椅子の下を覗き込んだ。次いでチェック用の名簿をバサバサと振り、集金袋の中を再度すべて改めた。

「どうしたのー？」

能天気な声が降ってきて、苛立ちながら陽子は「五千円足りないんです」と応えた。

「へーえ」

どこか面白がっているような返事と共に、ぶわっと酒の匂いが漂ってきた。顔を上げると鼻先を、金色に染めたロングヘアがくすぐった。小学生の子持ちには見えないほど、若い。ついでにわりと整った顔立ちをしている。スッピンでジャージ姿なんかでなければ、美人で通るかもしれない。

レノンくんのお母さんだと、すぐにわかった。決して生来のものでないはずの髪の色でわかるなんて、おかしなことだ。

五十嵐は酒臭い息を振りまきながら、「ちょっとしつれーい」と言い、いきなり村辺の上着のポケットに手を突っ込んだ。

「ホラ見ーつけた。ここに落ちてた」

つまみ出されたのは、五千円札だった。

陽子はしばらく、折りたたまれた札と、やたらとキラキラ光り輝くヤンキーママの爪とを、交互に見つめていた。

「……なに、どういうこと？」

自ずと声が低く、詰問調になる。

「あのさーこの人、手癖悪いんで有名らしいよ。ね、村八分の村辺さん」

五十嵐はおかしそうにケラケラ笑い、あたりはいっそう酒臭くなった。村辺は腰を下ろしたまま、真っ青になっている。

陽子は遵法《じゅんぽう》意識の薄い人は大嫌いだ。ましてや泥棒なんて。はっきりと犯罪者じゃないの、この人。

そして陽子は否《いや》が応でも自覚せざるを得なかった。今日の集金係は、「一緒に仕事をやりたくない人たち」でまとめられたのだ。おそらくは皆の暗黙の了解か、あるいは用紙を回す際の一言二言によって。

あの日保護者会には、今日の二人はいなかったと思う。けれど、三丁目の公団には同じクラスの子も大勢住んでいるだろう。でなきゃ幼稚園が同じとか。悪い意味での有名人二人の名は、当然耳に入っているはずで。かなりの噂《うわさ》にもなっているはずで。保護者会に出席していた「まともな」ママたちにとって、今日のメンバーは「問題のある」人たちで。関わり合いになりたくない人たちで。そして陽子自身は、飲んだくれヤンキーや泥ママと同レベルの扱いなのだ。

「……五十嵐さん。あなたのとこ、連絡網回ってくる？」

衝撃に肩を落としつつ、確認してみる。五十嵐は地色の目立つ頭頂部付近をぽりぽり掻《か》きながら言った。

「あー？　なんかケータイの留守録に入ってたっぽいけど？」

違った。さすがに陽子はうなだれる。

同レベルじゃなくて、この人たち以下、最下位だ。

こんな二人とは、陽子だって関わり合いになりたくない。犯罪者ママはとっとと警察に突き出して、ヤンキーママには説教した上で適度な距離を保って、それに、連絡網を意図的に飛ばしていると思われるママはきっちり締め上げて先生にも問題を伝えて……。

それがいつもの陽子のやり方だ。不正は許せない。惰弱《だじゃく》も自堕落も大嫌い。喧嘩上等、悪意には正々堂々と立ち向かう。今までずっとそうしてきた。なのに……。

『おかあさん、きたね』

そう言って笑った陽介の姿が、目の前に浮かんできてしまうのだ。

陽子の主義を貫けば、間違いなく大騒ぎになるだろう。その結果、陽介に何かとばっちりがいくようなことになったら？　子どもは親の言葉や好悪《こうお》の念に、いとも容易《たやす》く影響されてしまう。そのせいで、仲間はずれや苛めにあうようなことにでもなったら？

そうなれば、きっと自分で自分が許せない。

情けない。いつから自分はこんなに弱くなったのだろう。これじゃ、子どもを人質に取られているようなものじゃないか？

陽子はぐっと顔を上げ、周囲を見回した。幸い、他のクラスはとっくの昔に集計を終え、その場を立ち去っている。

陽子は自分のショルダーバッグにそっと手を入れながら言った。

「村辺さん、あなた給食費の五千円、盗んだことを認めるのね」

「あ、あの、これは、たまたまちょっと入っちゃったって言うか、知らないうちに……」

「村辺さん」再度、名を呼んでやる。「ここに五十嵐さんっていう証人もいるのよ。ね、そうでしょ、五十嵐さん」

「もろ現行犯だよね」

くすくす笑いながら五十嵐も言う。観念したのか、村辺は泣きそうな声で言った。

「ごめんなさい、もうしないから、ちゃんと返したから、許して、お願い」

「認めたわね」陽子はバッグからICレコーダーを取りだした。もうスイッチは切っている。「今のやり取り、録音させてもらったから。窃盗《せっとう》は重罪よ。これに懲《こ》りて、もうやめることね。今回に限って、警察には突き出さないどく」

村辺は引きつった顔で、こくこくとうなずく。それへ陽子はにっこりと笑いかけた。

「一つお願いがあるんだけど、いい？　連絡網なんだけど、なぜかうちだけ電話かかってこないのよ。すぐ上の人が、回し忘れてるんだと思うのよね」

「それ、ふつーにハブられてんじゃね？」

横から茶々を入れる五十嵐は無視して、あくまでにこやかに陽子は続けた。

「それでね、あなたからその人に電話して、こう言って欲しいの。『給食費集金のとき、山田さんが先生に抗議しようとしてたけど止めておいたわ。次からちゃんと回したほうがいいわよ』って。それならあなたに対する好感度が上がるから、悪い話じゃないでしょ」

相手がムキになって子どもみたいな態度になっている以上、直接対決は避けたほうがいいと判断したのだ。

「わかった、電話しておくわね」

村辺の態度は、尻尾があれば盛大に振らせていただきますといった感じだ。

「ありがとう、これからも、何かあったら相談させてね」

村辺に笑いかけつつ、陽子はICレコーダーをバッグにしまった。

「ふつーに脅迫だよ。見事手下ゲットだね」愉快そうに言いながら、五十嵐が首を傾げた。「でも何でそんなもん持ち歩いてるの？」

「私、編集者だから。インタビューや取材で使うのよ」陽子はじろりと相手を見やった。

「ついでに編集者として言わせてもらうけど、あなたの子どもの名前、日本語としておかしくない？　音を〈のん〉と読むのは、例えば〈観音《かんのん》〉みたいな特殊な連声《れんじょう》の場合だけよ」

本当は「のんのん」ちゃんの親に言ってやりたかったことである。

五十嵐はきょとんと首を傾げた。

「あれ、〈連〉〈音〉で、前に〈ん〉がつくから、いいんじゃね？」

今度は陽子が首を傾げる番だった。

「言われてみればそうか……でもそれなら、〈れんのん〉じゃない？　最初の〈ん〉はどこいったのよ」

五十嵐はハタと手を叩いた。

「言われてみればそっか。でもさ、この漢字だと普通読みは〈れんおん〉だよね。連音ってリエゾンのことだっけ？　面白いね。どうしてこの場合は観音みたく〈れんのん〉

って読まないんだろう。理由知ってる？」

ぐっと詰まってから、陽子は言った。

「知らない」

この場合、「負けました」と同義である。

ともあれこの短いやり取りで、陽子は五十嵐に対する評価を大幅修正せざるを得なかった。

――この人、実はかなり頭がいい。そんなふうには見えないのに。

後の方は、余計かつ失礼な感想だ。

「――まあとにかく」陽子はまず村辺の手を握り、次いで五十嵐の手をぐっと握った。陽子は今、盤上で孤立した王様だ。陽子の周囲は敵だらけ。この際、使える駒はたとえ歩兵だろうと、おろそかにはできない。そしてこれはゲームではなく、真剣勝負なのだ。

「二人とも、これからもよろしく」

そう言い残し、陽子は多目的室を後にした。負けるもんかという闘志を、心にメラメラと燃やしながら。

5

数日後、どうでもいい内容の連絡網が、陽子の携帯電話に無事回ってきた……何事もなかったように。取り敢えず、目先の闘いには一つ勝ったといえるだろう。

そして同じ日、珍しく早く家に帰ったところを近所の奥さんに呼び止められた。

「良かった、山田さん。やっと捕まった。あの話、考えてくれました？」

「あの話……？」首を傾げてから、すっかり忘れていたことを思い出した。「ああ、子供会の」

三月に、入会を勧められていた。その時には急いでいて、返事を保留にしたまま出掛けてしまった。

「すみません、ご返事遅れて」陽子は軽く頭を下げてから、気になっていたことを単刀直入に尋ねた。「あの、やっぱり役員とか会長とか、そういうのありますよね。どのくらいの頻度で回ってくるものなんですか？」

相手は言いにくそうに目を伏せた。

「そうですねえ、ＰＴＡの地区役員もありますので、それも合わせると六年間の間に二回……か三回か。持ち回りですので、ねえ……その辺は」

「無理です」

思わずぴしゃりと遮《さえぎ》っていた。

それでなくても毎月の授業参観に学期毎《ごと》に二回はある保護者会に運動会に学習発表会に保護者面談に防災引き取り訓練に、その他細々とした保護者参加行事に、それからPTA役員を二回に色んなPTA行事に、さらに加えて学童保育の役員に学童保育行事に、近いうちに自治会の班長だって回ってくるっていうのに、その上子供会の役員に子供会行事？　それにここにもPTAがからんでくるの？　どこの世界に、そんなに休みが取れる会社員がいるってのよ。まだまだ幼い小学一年、風邪で休んだりなんてこともしょっちゅうなのに。

「全然無理です。強制じゃなくてあくまで任意なんですよね。ほんと無理です、絶対無理です、遠慮させてください」

四月に入ってからのあれやこれやが、いちどきにわっと押し寄せてきて、陽子は必要以上に強い口調と険しい表情で断ってしまった。それに気づいたのは、相手の顔が眼に見えて強張《こわば》ってきたからである。

「……こんな物騒な時代ですから、子どもは地域で見守っていくべきだと思うんですけど、そこまでおっしゃるんでしたら、わかりました、けっこうです」

明らかに気を悪くした声でそう言い、くるりと背を向けて去っていった。

もしかしたら、ご近所にまで敵を作ってしまったのかもしれない……。
どんより暗い気持ちでそう思う、息子新一年生の、うららかな春であった。

第2章

義母義家族は敵である

1

自分は大地に根ざした一本の樹木である。

若い頃から陽子はよく、そんなことを考えていた。どこまでも高く、あくまでも強く。ただひたすら真っ直ぐに、ぐんぐん伸びる。害虫だって寄せ付けない。折れることも、たわむこともない。自分はそんな、強い一本の木なのだと。

そして漠然とだけれども、結婚とは単に、一本の木が二本となって並び立つことなのだと想像していた。実にシンプル。いたって明快。ときに強風から守り、守られることはあっても、基本、互いに寄りかかったりすることはない。より高く、より強く。二人、同じところを目指していけるものだと考えていた。

それが間違っていたとは思わない。今だって、そうした関係が陽子には理想である。ただ、独身時代には陽子がかけらも想定していなかった、そして後から考えればそれはいかにも迂闊だったなあと気づいたことがある。

自分も夫も、荒野にぽつんと生えている木なんかじゃなかったってことだ。

人は大抵、雑多な林だの深い森だのを抱えていて、結婚とは要するに、植生の違う二つの森を無理やり隣接させるに等しい暴挙なのである――これが、近頃ようやく悟った現実だった。

2

夫の母、山田敏枝《としえ》は極めて優秀な専業主婦である。加えて人柄も、控え目でおっとりとしていて優しい。ラッキーだったと、しみじみ陽子は思う。

子育てをしながら会社員としてフルタイムで働く。それは決して簡単なことではない。待機児童が山といるなか、激戦をくぐり抜けて保育園に入れても、さあこれで以前と同じくらいバリバリ仕事ができる……ということには、残念ながらならなかった。一時間から始まって、徐々に在園時間を延ばしていく「ならし保育」は、確かに必要な措置ではあるのだけれど陽子には焦《じ》れったかった。ようやくフルで預かってもらえるようになった途端、子どもが熱を出して一週間登園できなくなり、すでに本格的に職場復帰していた陽子は、大いに焦ったものだ。せっかく園になれてきたと思ったら、一週間のブランクでまたリセットされてしまい、大泣きされるところから始めなくてはならなかった。陽子だって泣きたくなったし、ようやくなれたかなという頃に五月の連休があり、またもや積み上げてきたものが崩れ去ったときには心底落胆した。当たり前ではあるけれども、子育てというものはスケジュール通り、計算通りにはまったくいかない代物《しろもの》だ。なんとか順調に通園しだしてからも、六時にはきっちりお迎えに行かなければならない。熱が出ました、発疹《ほっしん》が出ましたと、お迎え要請の電話はしょっちゅうかかってくる。けれどそうそう仕事を投げ出して飛んで帰れるはずもない。何事もなく家に帰れば帰ったで、子どもの夕食、入浴、そして山ほどの汚れ物の洗濯が待っている。寝かしつけに小一時間かかったりする。

仕事とは、他者に対して責任を負うことである。責任を全《まっと》うできない人間に、きちんとした仕事ができるはずもないと、陽子は考えている。

もちろん母親として、子どもに対する責任もある。それは重々承知しているから、義母の存在は心底ありがたかった。敏枝の全面的な協力なしには、陽子の仕事は成り立たないと言ってもいい。

保育園の頃はまず、「作り物」で大いにお世話になった。園でのお昼寝に使う布団カバーだの、お着替えを入れる大きめの巾着《きんちゃく》だの、食事用タオルエプロンだの、コップ入れだの、上履き入れだの、とにかくやたらと園によってサイズや材質まで指定された細々とした針仕事を当然のように要求された。洗い替えのために数が必要な物も多い。

小さな巾着類はなんとか市販のものでサイズが合うのを探して買い揃《そろ》えたものの、園の布団サイズが微妙に市販のものと合わず、従ってカバー類も合うものが見つからない。なぜだかファスナーではなくホックで留める形式を指定されていたので、ますます既製品では見つからない。やむなく大量の生地を買い込んではみたものの、陽子は途方に暮れていた。ミシンなんて触ったのは高校の家庭科の授業が最後で、今は所持してさえいない。現代日本で普通に暮らしていて、そんなものが必要になるとは思ってもいなかった。

「二人で手分けして手縫いするのと、ミシンを買って交代で縫うのと、どっちがいいと思う？」と夫に相談を持ちかけると、両方却下された。

「お袋がミシン持ってるから、頼めばちゃちゃっと縫ってくれるって」

能天気そのものの口調で、そんなことを言う。

「だって時間もそんなにないし、量もかなりあるよ？　突然そんなお願いしても、迷惑でしょう」

「平気だって。お袋ヒマだし、可愛い孫のためならってむしろ喜ぶよ。子どもに頼られていやがる親はいないし、かえって親孝行だって」

「……そういう、もの？」

陽子が懐疑的に首を傾《かし》げたのは、彼女自身の母親が「子どもに頼られて喜ぶ」タイプではとうていなかったからだ。某女子大の教授職にあった母のモットーは、「自分のことは自分で」であった。父も研究職で忙しく、小原家ではおのおのがそれぞれの職務を全うすることに重きが置かれ、家事などはできる者が最低限行えば良かった。陽子が幼い頃はお手伝いさんが面倒をみてくれたし、小学校に上がってからは陽子自身が簡単な家事もしつつ、宿題や勉強も一人でこなしていた。

別段そのことに疑問や不平があったわけではない。ただ、よその家庭とはずいぶん違うことには、幼いながらも気づいていた。友達の家に遊びに行くと、たいていは優しそうなお母さんが出迎えてくれる。そして手作りのおやつなどを振る舞ってくれ、おっとりと子どもたちの話に耳を傾けてくれるのだ。

いいなあと、思わなかったと言えば嘘《うそ》になる。理知的な両親を誇りに思ってはいたものの、自分の家が世間一般の家庭とはかなり異なることも自覚していた。だから、夫がしばしば口にする「普通親なら○○だろ」とか「それが母親ってものじゃないの？」なんてセリフには、陽子はいつも少し弱気になるのだ。

実際夫が電話で依頼したら、義母は二つ返事で引き受けてくれた。生地を自分で選べなかったことが残念そうですらあった。そしてもちろん、瞬《また》く間に完成した品々は、それはもう見事な出来映《できば》えだった。売りに出してもいいよと思えるくらい。自分なら喜んで買うよと思えるくらい。その時点でまだ、全衣類や小物の名入れ作業ごときに四苦八苦していた陽子には、「そんな、大したことないわよお」と柔和に笑う義母の背後から後光が差して見えた。

うちのお義母《かあ》さんは最高だ。

心底そう思っていた。

同世代の女友達からは、姑に対する愚痴を聞くことも珍しくない。

「平日の朝っぱらから、いきなりドアベルをピンポン鳴らしてやってくるのよ。取り散らかしてて恥ずかしいから、できれば前の日に、それも無理ならせめて家を出る前に電話一本下さいって、いくら頼んでもダメ。大丈夫よー、散らかってたって私は気にしないからーとか言って。こっちが気にするってのよ。私の予定なんてお構いなし。息子の家は自分の別荘ぐらいに思ってるわね、あれは」

「あらー、それは大変ね。うちのお義母さんは、ちゃんと電話くれるよ。すごく気遣ってくれるし」

そう暢気《のんき》に返すと、相手は一瞬ムッとした顔をしたが、内なる欲求に敗れたのか、再び愚痴を垂れ流し始めた。

「一番腹立つのは、子育てに口や手を出されることよね。それ、何十年前の子育てよってことを、当たり前のようにされるとほんと腹立つのよ。信じられる？　哺乳瓶《ほにゅうびん》はこうやって温度を確かめるのよなんて言って、ちゅっちゅっちゅって自分で哺乳瓶の乳首を吸っちゃったのよ。私もう、倒れるかと思ったわよ。大人の口なんて、ミュータンス菌その他諸々雑菌の巣じゃない。一体何のために授乳セット一式消毒してるんだか。飲ませる前に慌てて取り上げたら、もう大騒ぎ。嫁にバイキン扱いされたって親戚中に言って回るわ、夫に泣きつくわで、もうこっちが泣きたかったわよ」

「あらーそれは嫌ね。うちのお義母さんの子育ても、そりゃ古いけど、今はこうなんですよって言ったら、ちゃんと納得してくれるわ」

と陽子が応えたあたりで、女友達はひどく白けたような、そして半ば怨《うら》めしそうな目つきになった。

「あんたに共感を求めた私が馬鹿だったわ」などとつぶやきつつ、「確かによくできたお姑さんだけど、陽子がお姑さんを気に入っているのと同じくらい、お姑さんの方は陽子を気に入ってくれてるのかしらね」と捨て台詞《ぜりふ》のように言われた。

「あら、もちろんよ」

余裕たっぷりに、陽子はうなずいたものだ。

その後彼女から(嫁姑問題に限らず)愚痴めいた話を聞かされることは、二度となかった。他人の愚痴を聞かされるほど時間の無駄なことはないので、特に問題はないと思っている。

だが本当のところ、その時反射的に出た強気な態度ほどには、義母から気に入られている自信がない陽子であった。

世間的に見て、陽子が一般的なお嫁さんより抜きん出ていると思われるものに、高学歴、高収入がある（ついでに言えば、背も高い）。しかしそれがお姑さんに対するアピールポイントになるかと言えば……微妙である。自慢の息子より偏差値の高い大学を卒業し、なおかつ息子より高い給料をもらってくる嫁……大いに結構なことのはずなのだけれど、母親からすればやっぱり複雑なのかもしれない。

夫の実家の近くに一軒家を建てて越してきたときにも、「陽子さんのおかげでこんな立派なお家に住めて、うちの子は幸せねえ」と何度も何度もしつこいほどに繰り返し、終いには夫の不興を買っていた。

ちなみに同居という話にならなかったのは、夫にまだ独身の妹がいるからだ。夫の父は数年前に他界しているので、今は二人暮らしである。他県には、嫁いでいった姉もいる。皆ごくごく常識的な人たちで、常識的な付き合いが進行中だ。そこには何の問題もない。嫁姑戦争とか、小姑にいびられるとか、そうした話とは全く無縁でいられる陽子である。

「――そりゃそうよ」と、先の友人とはまた別な女友達に言われたことがある。「三高嫁をいびるのもなかなか大変そうだもん。しかも相手は陽子だし」

「ちょっと待ってよ。学歴と収入はともかく、おしまいの高いはなに？」

カチンときて尋ねると、

「あら、三高ときたら身長に決まってるでしょ」相手は人の悪い笑みを浮かべて言った。

「それともなあに、高圧的とか高慢とか高飛車とか、言うと思った？」

「……高飛車は思いつかなかったわ」

と陽子は苦笑した。口が悪いのはお互い様で、陽子の友人はこうした毒舌タイプか、あるいはまったく人の悪口を言わないタイプか、両極端である。

義母と義理の姉妹たちは、少なくともどちらのタイプでもない。個人的に親しく付き合ったことのない、どちらかと言えば苦手な部類に入る女性達であると言える。

そのわりには、自分はずいぶんうまくやれている。

陽子はそう思い、心から満足していた。

3

——ずいぶんうまくやれている、はずだった。

ところがあるとき、夫の姉、加代子《かよこ》から突然言われた。

「お母さんをあんまりこき使わないでくれる？　もうけっこう歳《とし》なんだから」

法事の集まりの際のことである。久しぶりに会った加代子は、以前にも増して恰幅《かっぷく》が良くなり、貫禄が増していた。

「はあ、ああ、お義母さんにはいつも御世話になっちゃって……」

とっさのことで、陽子にしてはぼやけた感じの返答になったが、すべてを言わせず加代子はぴしりと言った。

「御世話になりすぎでしょ。美佐子《みさこ》から聞いたわよ。学童保育のお迎えから陽介くんの夕食からお風呂から、果ては寝かしつけまでやらせてるって？」

「私と信介《しんすけ》さんがどうしても遅くなるときには、お願いしています」

美佐子経由か。陽子は内心で軽く舌打ちをした。

夫の妹、美佐子は二十八歳のＯＬである。お兄ちゃん子だった彼女は、家が近いこともあってわりと頻繁に遊びに来ていた。まあそれはかまわないのだが、一つ、ストレスに感じていることがあった。毎回、必ずと言っていいくらい、彼女の口から飛び出すセリフがあるのだ。

「わあっ、お義姉《ねえ》さん、それすてき。今度貸して」

それとは、陽子の服だのバッグだのアクセサリーだののことである。

編集者という仕事柄、一流ホテルだのレストランだの料亭だのに出入りできるだけの服装は必須だった（もちろん、作家の取材に同行して山に登ったり釣り船に乗ったりなんてこともある）。様々なシーンに対応するべく、必要経費と割り切って、陽子はことファッションに関しては質の良い物を揃えるようにしていた。

だから陽子のクローゼットは、美佐子からすれば宝の山なのだろう。彼女の気持ちはわからないではない。一般事務職の彼女の給料が、びっくりするくらい安いことも聞いている。しかしだからと言って、疲れ果てて帰宅して、子どもに遅い夕食を食べさせるべくバタバタしているところにやって来ては「お義姉さーん、明日の合コンに着ていく服貸してー。バッグと靴も、あとそれに合うアクセとかも」なんて甘ったれた声で言われるのは、正直あまり気分の良いものではない。二人とも普通体型なので、服も靴も共有できてしまうのだ。無論、陽子が義妹から借りることはありえないのだが。

とはいえ一人っ子の陽子にとって、義理ではあっても初めてできた姉妹だったし、「お義姉さん、お義姉さん」と慕ってくる美佐子は、甘え上手なこともあって可愛かった。それでたいがいの場合、「いいわよ」と気前よく貸してあげていた。

ある日、バツが悪そうな顔でやって来た美佐子に言われた。

「お義姉さん、ごめーん。借りてたワンピ、ちょっと汚しちゃった」

無造作に紙袋に入れられた服を見て、陽子は固まった。クローゼットの奥に大切に保管していた、シビラのシルクワンピースだった。

恐る恐る引っ張り出してみると、クリーニング店のタグと共に、「日数経過のため、完全に染み抜きできませんでした」との注意書きがぶら下がっている。胸元と膝のあたりに、赤っぽい染みがにじんでいた。

「赤ワイン？」

硬い声で陽子は聞いた。ワンピースの地の色が、シビラグリーンと呼ばれる美しい緑色であったため、その染みは余計に無残な印象だった。

「私、これをあなたに貸した覚えはないんだけど？」

先の返事がないままに、陽子はさらにきつい口調で言う。

「友達の披露宴に呼ばれて……急いでたから」きまり悪そうにうつむきつつ、美佐子はボソボソと言う。「お兄ちゃんに聞いたら、いいって言うから」

「なぜお兄ちゃんに聞くの？　お兄ちゃんの持ち物じゃないのに。それにこれ、すぐに染み抜きに出してくれてたら、ちゃんときれいになったんじゃないの？」

畳みかけるように追及したら、突然美佐子は憤然と顔を上げた。

「何よ、こんなお嬢さんっぽいデザイン、お義姉さんもう着られないでしょ。タンスの肥やしになってるくらいなら、私にくれたっていいじゃないの。謝ったんだからもういいでしょ」

これぞ逆ギレの見本といった感じでまくしたててから、声高に「もう帰る」と宣言し、言葉どおり踵《きびす》を返した。その背中に向けて言ってやった。

「私はさっきのあれを謝罪とは認めないわ。もう今後一切私の物は貸さないから、そのつもりでいてね」

美佐子は一瞬立ち止まったが、すぐにすたすたと歩き去ってしまった。もちろん陽子の怒りは収まりようもない。

しかも後で見てみたら、勝手にワンピースの裾上げまでしていた。陽子の方が美佐子より背が高いのだ。美佐子の中ではもう、もらったも同然だったのだろう。直後に帰ってきた夫に文句を言ったら、「もう着ないんだったら別にいいじゃん」と兄妹そろって似たような返事で余計に腹が立った。

「これはね、スペインの有名ブランドの服で」シビラの初期デザインなんて言ったところで、どうせ夫には通じやしない。男には即物的な数字の方が、よりよく伝わるものだ。

「――お値段は十万近くしたわ。古着でもファンは多いから、ネットオークションに出せばかなりの値がついたはずよ」

「ゲッ」という顔をした夫に、陽子は世にも哀しげな顔をしてみせる。

「お金のことはね、いいの。だけどこれ、あなたと初めて会った日に着ていたものなのよ」

冷徹な数字でビビらせた後は、情緒方面で攻めてみる。効果は絶大だった。

「……悪かったよ」しょんぼりと、夫は首を垂れた。「美佐子もよく叱っとく」

確かに、叱ってはくれたらしい。美佐子からはなんのリアクションもなかったけれど。

以来、美佐子の足はすっかり遠のいている。彼女が慕っていたのは陽子ではなく、陽子のクローゼットであったと判明したわけだ。

その騒動があった上での、長女に対する「密告」である。どう考えても、服の一件の意趣返しとしか思えなかった。

納得できるはずもない。被害者はこっちだっていうのに。

陽子は憤然と美佐子の方を見やった。離れた場所で、楽しげに夫と語り合っている。お兄チャンは暢気なものだ。今、姉と妻との間にバチバチと飛び散っている、小さな火花になんて絶対に気づかないだろう。

「——お義母さんご自身が、何かおっしゃっていたんですか？」

内心の苛立ちとは別に、ごく静かに聞いてみた。加代子はふくよかな肩をすぼめて言う。

「まさか。うちの母はお嫁さんの悪口を言うような人じゃないわ。知ってるでしょ？」

「ええ、もちろん」

うなずきつつ思う。私が悪口を言われるようなことをやってるとでも？

「陽子さん、あなた、ご近所の評判悪いわよ」

突然声を低めて言われ、陽子は驚いた。

「何の話ですか？」

「あなた子供会、入ってないんですって？」

「ええまあ、任意ですし」

「呆れた。なのに子供会主催のお祭りには行ったそうね」

「え……？」虚を衝《つ》かれ、陽子はやや怯んだ。「お祭り……って言うと、近くの公園でやってた？」

陽介が小学生になって最初の夏休み、楽しげな祭り囃子《ばやし》に誘われて、夫と子どもが出掛けて行ったことがある。夕食前だと言うのに、ヤキソバだのラムネだのを抱えて帰ってきたっけ……。もう昨年の話である。

当時の微笑ましい思い出が、突如としてイヤーな感じの色で塗りつぶされてくる。

「……あの夏祭りって、子供会主催だったんですか？」

「それと自治会とね」まるで地元民のように、加代子は重々しく言った。もちろん、結婚前まではこの地域に住んでいたわけだから、元地元民ではあるのだ。「まさかあなた、町内会にも入ってないなんて言うんじゃないでしょうね」

「いえ、それは、入っていますが……」と言うよりは、入居直後に当たり前のように自治会費の集金があった。「自治会費はちゃんと払っていますから、お祭りに行く権利くらいはあるんじゃないですか？」

「何もわかってないのね」やれやれとばかり、加代子はオーバーに肩をすぼめた。「自治会は高齢の方が多いから、もっぱら準備にかり出されるのは子供会のメンバーなのよ。お年寄りに買い出しだの設営だのの力仕事なんて無理でしょ。当日だって役員さんは売り子だの防犯パトロールだのって、それこそ自分の子はそっちのけで大忙しなんだから。それを、子供会にも入っていない人がのこのこやってきて、親子で暢気に楽しんでたら、そりゃ、面白くない人はいるわよね」

「……それは、お義母さんがおっしゃっていたんですか?」

ひとつ瞬《まばた》きしてから、加代子は応えた。

「私の友人情報よ」

「……そうですか」

そうだとしても別におかしくはない。地元の友人くらい、いくらでもいるだろう。だが陽子には、加代子が嘘を言っていることがわかってしまった。編集者という仕事柄、作家だのイラストレーターだのの嘘や言い訳を山ほど聞いてきているから。

この場合の嘘とはつまり、問題の情報は友人からもたらされたものではない、イコール、義母から聞いたということ。近所の人で、嫁に関する苦情を義母に持ち込んだ人物がいるということ。

それを義母は陽子には直接言えず、長女に愚痴という形で伝えたのだろう。

ふいに、「わーっ」と叫んで走り出したくなった。

ごくごく普通に、仕事をして、子育てをして、コミュニティの一員として暮らしていく——ただそれだけのことが、なんとまあ七面倒で厄介なのだろう。

「——わかりました。信介さんに話して、もう夏祭りには行かないようにします」

呼吸を整えてから、きっと顔を上げて宣言すると、加代子はひらひらと手を振った。

「どうしてそういう方向に行くのよ。違うでしょ。陽介に堂々とお祭りを楽しませてあげるためにも、子供会くらい入りなさいって言ってるの」そこでいきなり、加代子は腰を屈《かが》めて視線を落とした。「ねー、陽ちゃんだって行きたいわよねー、お祭り。お母さんのせいで行けなくなるのは、つまんないわよねー」

陽子の心臓がドキンと鳴った。いつの間にか、陽子の背後に陽介がいたらしい。正直、加代子の今のセリフは痛かった。

そっと振り返ると、陽介は陽子のスカートをぎゅっと握りながら大きく首を振っていた。

「行きたくないよ。ぼく、おまつりなんて行きたくないよ」

母が責められていると思い、必死に庇《かば》っているのだ。

常日頃、陽子は男でも女でも、簡単に涙を見せるような人間は軽蔑していた。そんなに弱くてどうすると、小馬鹿にしてもいた。

なのにその時、気づかないうちに陽子の眼から大粒の涙が一つ、こぼれ落ちていた。

「……陽介。行こうね、お母さんと行こうね、近所のあんなちっちゃなお祭りじゃなくて、もっとずっとすごいやつ。ねぶた祭りとか祇園祭とか、そういうの行こう。お母さん、頑張ってお仕事お休みできるようにするから」

膝を落とし、ぽろぽろ涙を落としながら陽介を抱きしめ、そんなことを口走っていた気がする。

傍らではそっちのけにされた加代子が、そして周囲では夫とその親戚一同が、呆気《あっけ》にとられたように母子を見守っていた。

4

「——鬼の眼にも涙、ね」

話を聞き終えた玉野遥は、ごくごくあっさりとそうまとめた。

「面目ないわ……って、誰が鬼よ」

そう抗弁する陽子の声に、いつもほどの勢いはない。

「しかも結論がねぶた祭りに祇園祭？　博多どんたくに仙台の七夕まつり？　それで解決ってことなら、あなたの脳ミソはやっぱり男だわね」

遥は肩を揺すって楽しそうに笑う。

「博多と仙台は言ってないから……どうだっていいけど」

「ホント、どうだっていいわ。で、相談って何よ」

「うーん、それなんだけどね……」

学童保育のお迎えで珍しくばったり会った際の立ち話である。子どもたちはドッジボールに夢中で、なかなかすぐには連れ帰れそうもない。

「……女ってさあ、どうして面と向かって言いたいことを言わないんだろうね」

〈相談〉と切り出しておきながら、〈女〉などという一般的な単語を持ち出したりするのは、常の陽子なら絶対ないことだ。

「じゃああなたは女じゃないのね」

軽く遥にそう返される。無理もない。そっちもね、と返しつつ、自分でもそう思う。

「授業参観に遅れていくとさ、廊下でずっとひそひそやってるお母さん達、いるじゃない。で、漏れ聞こえてくるのが全部、学校とか先生とかのやり方に関する不満だったり。ところがいざ保護者会が始まって、意見や要望を言う段になっても、誰一人発言しないのよ」

「あなた以外の誰も、ね」

違うクラスのくせに、遥はまるで見てきたようなことを言う。

「私は、言うべきことがあるときは言う、ないときは言わないわよ。だけど私が口火を切ったら、それに乗っかってくる人はけっこういたりするのよね」

「あらあなた、他の保護者から嫌われてたんじゃなかったの？」

からかうように言われ、陽子は肩をすぼめた。

「バリバリ嫌われてるわよ。誰も目を合わせてこないもの。だからわざとこっちから、大声で挨拶してやるの。名前を呼んでね。さすがにそれを真っ向から無視できる人は……少ししかいないわ」

「いるんだ」

遥はおかしそうに肩を揺すって笑う。

「そのことはまあ、いいの」

「いいんだ？」

「そりゃ良くはないけどね」陽子は苦笑する。「保護者会でさ、せっかく意見や要望を述べる場があっても、そこで何も言わなかったら、先生は何も不満や問題はないものと思うよね。それって、先生が責められるようなことじゃないよね。言わずに察してくれって方が、無茶な話よね」

「まあそうよね」

「不満があるのに言わなかったり、人が言うのを待ってたりって、何か理由があるの？問題点なんて、相手に伝えなきゃ、解決のしようがないでしょうに……どうして女ってさー」

「なんかさー、どうして女はスカートみたいな足がスースーする物を着てるんだって聞かれてる気になってきたわ……男から」遥はおどけた仕種で両手をひらひらさせた。

「そんなの、人に聞かなきゃわからないこと？　人とぶつかりたくないからに決まってるじゃない。問題点を指摘したり、不満を口にしたりするってことは、相手を糾弾《きゅうだん》していると取られかねないでしょ。真っ向から衝突するような事故を起こすくらいなら、たとえ大回りになろうが目的地に着けなかろうが、ハンドル切って回避する……それが女のやり方よ。女は平和主義なの。大昔から、戦争始めるのはたいてい男でしょ」

「女だって喧嘩ぐらいするでしょ」

美佐子の一件にしたところで、どう考えても喧嘩を売っている、あれは。

「そりゃそうだけど、学校では控える人が多いってこと。なんたって、子どもが人質になってるようなものだしね」

「ああ、それは、ね」

陽介の入学以来、身に沁《し》みて感じていることである。

陽子自身、陽介を守るためならどんな敵とだって闘ってやると心に決めている。たとえ相手が巨漢で、ナイフや銃を手にしていたとしても、一か八《ばち》かで闘って、陽介が逃げる時間くらいは稼いでやる心づもりでもいる。ただ、そうした雄々しい決意とは別に、闘うことが必ずしも陽介のためにならない場面が、わりと多くある現実にも気づいてしまっている。

自分に対する怨みや反感が、陽子を素通りして弱い子どもの方に向いてしまわないか……そんな危惧だの恐れだのが、今の陽子には常に付きまとっている。だから、そうした考えの延長線上に、保護者会でたとえ不満があっても直接先生に言わない、言えないという事実があるのだと聞かされれば、納得できないこともない。子どもの守り方にも、たぶん色々あるのだろう。とはいえ、依然として陽子には理解しにくいことではあるのだが。

しかし陽子にはまた、別の懸念があった。

「子どもが人質になって言いたいことが言えないっていうのは、あの……」陽子は常になく、口ごもりながら言った。「お姑さんから嫁に対してもあてはまることなのかな」

この場合の子どもとは、夫のことである。更には、姑からは孫にあたる陽介も含まれるだろう。

もちろん陽子には、夫や子どもを人質に取っているつもりなんかない。ただ、PTAの役員決めだの学童保育の父母会だの、その他諸々の騒動やら、美佐子との一件やらで、陽子は女同士の付き合いというものにすっかり自信を無くしていた。

今にして思えば、いつだったか美佐子が陽子のクローゼットを覗く機会があり、その時やたらと例のワンピースを誉《ほ》めていたのだ。

「わ、これ、素敵ですね。さすがシビラ、お義姉さんに似合いそう。さすがお義姉さん、いいもの持ってるなあ」とかなんとか。

今ならわかる。要するにあれは、「これをくれ」と言っていたのだ。「若向きのデザインだから私はもう着られないわ。きっと美佐ちゃんの方が似合うわよ」と言って欲しかったのだ、陽子の口から。

だって人の持ち物を強請《ねだ》るのは、品がなくてはしたないことだから。

義姉が着られなくなった服をお下がりとしてくれるなら、それはもう全然問題ない。義理のお姉さんと仲が良くて素敵ね、と誰からも言ってもらえる。そうそう何度も着られるわけじゃない高価な服を、わざわざ買うなんて馬鹿げたことだし。義姉は義姉で、クローゼットの整理ができて嬉しいだろうし。

たぶん、美佐子はそんなふうに都合よく考えていたのだ。

女とは、察して欲しい生き物なのだとつくづく思い知る。

なんとまあ、面倒くさい。本音を隠して、取り繕《つくろ》って。そして相手が自分の望む反応をしてくれないと、勝手に不機嫌になって。

面と向かって「これちょうだい」と要望を伝えてくれさえすれば、こちらだって言葉を尽くし、申し訳ないけれども大切な品なのと、相手に理解してもらうこともできるのに。代わりにこれかこれなら譲れるわよと、代案を示すこともできるのに。

自分のこうした発想が、男の考えなのだというのなら、もうめんどくさいから男で結構と、陽子は投げやりに思う。ただ、男には男の面倒くささが山ほどあることも、仕事関係の男性諸氏を見ていればわかる。自分を大きく見せるための嘘は正義であることとか、しばしば面子《メンツ》が合理性より優先されることとか。

女の場合、感情が合理性より優先されることが多いように思う。まあ要するに、人間とは総じて非合理な生き物なのだろう。

さてさて、女は察して欲しい生き物で、不満があっても直接相手にはなかなか言わない生き物で……となると俄然陽子は不安になってくる。

陽子がこの上なくうまくいっている（と信じてきた）義母との関係である。口に出して表明しないからといって、不満がないわけじゃない――いやむしろ、言いたいことは山ほどあるのだけれど、息子や孫のために不満に蓋《ふた》をしているのだとしたら？

考えるだに、嫌な気持ちになってくる。けれど加代子や美佐子との一件を鑑《かんが》みるに、どうやらその可能性は高そうだ。

陽子自身、まったく思い当たることがないわけじゃない。

例えば、自宅の冷凍庫の中身に、絶句されたことがあった。仕事を終えて家に帰り、十五分で夕食を作るために、陽子は冷凍の半調理品を大いに活用している。衣がついて揚げるばかりになったトンカツに海老フライ、成形されたハンバーグにロールキャベツに肉団子、などなどである。

実のところ、陽子は料理が得意ではない。休日に頑張って手の込んだ品に挑戦しても、お約束のように生煮えの煮物や、外側は焦げて中身はレアな焼き魚ができ上がったりする。夫は平日の手抜き料理には文句を言わないが、手間暇掛けた方にはきっちり苦情を言ってくる。

「大丈夫だよ、レンジでチンすれば食べられるよ」

かつては陽子が自分で言っていたセリフを、今ではフォローするように息子が言ってくれる。さすがに情けない思いがあったが、間違っても人に弱みを見せる陽子ではない。

「今は便利な物があって助かります」

そうにこやかに義母に言ったら、何とも微妙な表情で微笑み返された。

また別な日には、畳んだ洗濯物の一部が、裏返ったままだったことに驚愕された。義母の指摘に対し、「ああ、うちでは着る時に着る人が表に返すことになってます。それが嫌なら、脱いで洗濯機に入れるときにちゃんと表になるようにしておくってのがルールです」

やはりにこやかにそう説明したら、義母はひどく当惑したらしかった。

もしかしたら、義母は息子や孫のことを、この上なく不憫《ふびん》だと考えているのかもしれなかった。

「――不憫だと思っていたとして、改善できるの？」話を聞いた遥は、ややキツい口調で言った。「あなたなりにギリギリの毎日を送っているからこその、手抜きなんでしょ。今さら子供会に入って役員やるのと同じくらい、無理な話でしょ」

相変わらずずばりと本質的なことを突いてくる。こういうところがやっぱり「合う」のだと、陽子は思う。

「だけど仕事を続けていく上ではお義母さんのサポートは必要不可欠なわけでさ、できればお義母さんが感じているかもしれない細かい不満は、一つ一つ解消していきたいわけよ」

そうするためには、具体的にどうしたらいいかの相談である。問題点があるなら解決すればいい。そこはいたって明快な陽子であったが、肝心の問題点がよく見えてこないのだ。

しかし、遥は素っ気なく肩をすぼめた。

「全部解消するには、あなたは仕事を辞めなきゃならなくなるわ。専業主婦と兼業主婦との間の溝は、それくらい深いわよ。たぶん、『保育園なんて可哀想』、『学童保育なんて可哀想』って次元からスタートしてるから。そんな地雷、下手に掘り起こさない方がいいと私は思うけどね」

「いつ爆発するかもしれない地雷の上で暮らすなんて、性に合わないのよ……誰だってそうでしょう？　いきなり全部解決ってのは無理でも、一部なら……それに意見のすり合わせなら、できるかもしれないでしょ。お互い歩み寄ってさ。だからね、もし良かったらお迎えの時とかでうちの義母に会ったとき、それとなく聞いてみてくれない？　こう、世間話ふうに」

「お宅のお嫁さん、キツくて大変ですねって？」

にこりともせず遥は言う。

「違うって。もっと軽い話。ここをこうしてくれたら、嬉しいんだけど、みたいな感じの」

「自分で聞いたら？」

「聞いたわよ、とっくに。不満なんてこれっぽっちも、ひとかけらもないそうよ」

「ああ、それは嘘ね。面と向かって言えるわけないでしょ。大体、改まってそんなこと聞かれたら身構えるって」

「やっぱり、そう思うでしょ。だからね……」

すべて言わせもせず、遥はぴしゃりと言った。

「お・こ・と・わ・り。よその嫁姑問題に巻き込まれたくないもん。揉《も》め事《ごと》は、我が家の分だけで充分」

少なくとも、多くの女性と違って玉野遥は、面と向かって相手に言いたいことを言えるし、人に嫌な顔ができる人なのだということはよくわかった。陽子と同じ種族である。陽子としても、断られることは半ば予想してはいた。もっともな言い分だとも思った。もとより、こんな迂遠《うえん》でもってまわったような（ある意味女らしい）やり方は、陽子の気質には合わないのだ。

だから、軽くため息をつきつつも笑って言った。

「――ごもっとも」

5

そんなやり取りがあってから数週間経った頃、陽子がデスクで校正刷りの山と格闘していると、携帯電話が鳴った。義母だった。

「……あのね、陽子さん。今日のお迎えなんだけどね」弱々しい声のあと、一つ咳。それから少しの間《ま》。嫌な予感がした。「あのね、申し訳ないのだけれど、何だか風邪をひいてしまったらしくて。熱が出てしまってね、今日頼まれてたお迎えだけれど……やっぱり陽子さんが行ってくれるわけにはいかないかしら」

コホン、とまた咳。

正直、義母の体を気遣うよりも先に、「困った」と思った。

夕方から、絶対に抜けられない会議がある。陽子がドタキャンしようものなら、各方面に多大な迷惑を掛けてしまう。

「……わかりました。信介さんに電話して、何とかお迎えに行ってもらえるよう頼んでみます」

電話口の向こうで、絶句したらしい気配が伝わってきた。

「……陽子さんは無理？　どうしても？」

ごくごく控え目に聞かれる。

「今回ばかりは、申し訳ないですが。とにかく、いったん切りますね。またこちらからかけ直します」

早口にそう言うと、義母は慌てたらしかった。

「ちょ、ちょっと待って、陽子さん。そういうことなら、いいのよ。無理にってわけじゃないの。薬を服《の》んで少し横になったら、何とか行けると思うわ。ほんとに大丈夫だから気にしないでね、お仕事中、ごめんなさい」

そう言って、そそくさと電話を切ってしまった。

陽子はほっとため息をつく。夫がお迎えに行けなかった場合の算段について、考えあぐねていたからだ。

その日、怒濤《どとう》のような仕事を終えて十時過ぎに帰宅すると、顔を赤くした夫が広げた新聞を前にテレビを見ていた。明らかに一杯機嫌である。

「陽介の頭、洗ってくれた？　今日夜、何食べたの？」

ただいまのあと、そうつけ加えてみた。

今日は夫が簡単な夕食を作り、陽介を風呂に入れて寝かしつけをしてくれる手はずになっていた。

「やー、俺、今帰ったとこ。急に上司から誘われちゃってさー」

暢気に言われて驚いた。

「え、じゃあお義母さん、さっきまでいらしたの？　だって今日、具合悪いから私がお迎えに行けないかって電話来たんだけど。お義母さん、大丈夫だったの？」

「んー？　別にいつもと変わんなかったと思うけど。『呑んできてもいい？』って電話したときも大丈夫って言ってたし、大丈夫じゃね？」

あくまで能天気な夫であった。

だが、古今東西、男が身内に対して使う「大丈夫」が、本当に大丈夫であった例《ためし》などないのだと、まもなく陽子は痛感することとなる。

その週末のことだった。子どもがまだ目をさまさないのをいいことに朝寝を決め込んでいた陽子は、八時ちょうどにかかってきた電話に飛び起きた。

日曜朝の電話は、深夜のそれとはまた違った意味で不吉だと陽子は思う。ことに八時ちょうどの電話なんて、ギリギリ常識的な時間になるのを待ち構えていた感があって、出るのがすごく億劫《おっくう》だった。

そしてまた、嫌な予感に限ってよく当たる。

「陽子さん？」

出るなり言われて、ああと思った。

この世に陽子を「陽子さん」と呼ぶ人間は二人だけだ。義理の関係である義母と義姉である。そしてこの不機嫌そうな声は、明らかに後者だった。

「あら、朝からどうされたんですか？」

努めて明るい声をだしてみたものの、相手が言いたいことは瞬間的に察知していた。

「どうしたじゃないわよ、前に言ったでしょ。お母さんはもう歳なんだから、こき使うのはやめてって。なのに何？　三十九度も熱があるお母さんに陽ちゃんを迎えに行かせて、あげくに食事にお風呂に寝かしつけ……夜遅くまでいさせたって？　自分が何やってるかわかってる？　肺炎にでもなったらどうするのよ。甘えるのもたいがいにしてくれない？」

一気にそうまくし立てるのを、起き抜けの寝ぼけた頭で聞いていた。

「……お義母さん、三十九度も熱があったんですか?」

ややかすれた声で、ようやくそれだけ言う。

「次の日にね、高熱が出て寝込んじゃったのよ」

強い非難を込めて言われた。

「……申し訳ないです」

「申し訳ないってあなたねえ……」

「申し訳ないです。お義母さんには今日の午後、改めてお詫びに伺います。教えていただいてありがとうございました」

静かにそう言って電話を切った。

「お袋、どうかしたの?」

夫が半身を起こして聞いてくる。

「大丈夫じゃ、なかったのよ。お義母さんもあなたも大丈夫大丈夫って、何よ、全然大丈夫じゃないじゃないの」

「……何だよ、わけわかんねー。日曜の朝からカンベンしてくれよ」

さも迷惑そうに言われ、「それはこっちのセリフだー」と叫びたい陽子であった。

だが、感情的になってヒステリーを起こすなんて陽子の主義に反する行為だ。取り敢えず皆で起き出し、陽介が特撮番組に夢中になっている間に夫に事の次第を説明した。

夫はさすがにバツが悪そうではあったが、単に運が悪いと考えているようでもあった。

午後になり、「おばあちゃんとこ行こ」と陽介に声をかけ、三人で出掛けた。遠回りして地元でも評判のケーキショップに寄る。義母はここのシュークリームが好物だった。

十時頃、「伺っていいですか？」の電話をしたとき、義母は非常に明るく、元気だった。明るすぎ、元気すぎだと言っていい。少々わざとらしいほどに。

これは確実に、加代子からの電話が行っている……やれやれと思ったが、まあ当然ではある。そこまでは予想の範囲内だったが、いざ義母宅に着いてみると、美佐子の他に加代子までいた。電車で一時間の道のりを、わざわざ駆けつけたらしい。

何やらずいぶん大袈裟《おおげさ》なことになってしまったが、むしろ好都合かもしれなかった。

加代子は小学生の末っ子を連れてきていた。従兄に会えて陽介は大喜びである。母親に言い含められているのだろう、彼は陽介に「遊ぼうよ」と声をかけ、さっさと二階に連れて行ってくれた。こうした細やかな気配りに、さすが長女だなあと陽子はいつも思う。

「――お茶、淹《い》れてくるわね」

皆が席に着くなり、義母は逃げるように台所に立った。

「……お袋、大丈夫なの？　高熱があったんだろ？」

信介が気遣わしげに尋ねた。問題の日から、まだ数日しか経っていない。

「……そんな、高熱ってほどじゃ、ないのよ」

キッチンから、蚊《か》の鳴くような声で返答があった。

「え、そうなの？　何度？」

「三十七度……五分くらい」

聞いていた話とずいぶん違う。

「私は美佐子から三十八度って聞いたわよ」

なじるように姉から言われ、美佐子はつんとそっぽを向いた。

「四捨五入しただけよ」

「陽子は姉貴から三十九度って聞いたらしいけど？」

弟に突っ込まれ、加代子はふっくらした肩をそっと縮めた。

「大人が三十八度まで出たら、九度はすぐでしょ」

「どういう理屈だよ。伝言ゲームの最中に勝手に熱を上げていくなよ」

口では二人を責めているものの、夫の顔は露骨に安堵の表情を浮かべていた。彼の罪悪感の多寡《たか》は、母親の熱の高さに比例しているらしい。

同時に陽子は気づいてしまう。今回の場合、義母が出した熱の高さは、姉妹が陽子を責める武器の威力に比例してもいるのだ。

陽子が押し黙っていることに気づいたきょうだいが、ふと沈黙した。そこへ茶器を盆に載せた義母が戻ってくる。ようやく、陽子は口を開いた。

「――陽介が保育園の時」むしろ静かな声で、陽子は話し出す。「信介さんにお迎えに行ってもらうこともよくあって、信介さんはたびたび、規定の時間から遅れていたんですよ。十五分とか、二十分とか。その場では何も言われないんです。けど、後で私がお迎えに行ったときに、苦情を言われるんです。こういうことじゃ困りますって。何か変だと思いませんか？」

一同を見わたしてみたが、誰も「変だ」とは言わなかった。ただ夫だけが、バツの悪そうな顔をしている。

「私は自分の仕事に誇りを持っています。信介さんがそうであるように、お義父《とう》様がそうであったように。そして仕事には責任が伴います。プライベートな事で、会社の人にも、ましてや関係先の人にも、絶対に迷惑を掛けるわけにはいかないんです。そして信介さんもそうですが、会社の中である程度の立場になると、自分の裁量で動ける時間ができてきます。その日やるべき仕事はあっても、ギリギリ明日までは延ばせるとか、そうした自由がきくことがあるんです。で、お義母さんが熱を出されたときの信介さんは、そういう状態でした。一方私の方は、大勢の方が日程を調整した会議がある日でした。そのために遠方から来られた方もいらっしゃいます。その中で、責任ある立場の私がおいそれと抜けるわけにはいかないんです」

「でも、そんなのおかしいわよ」流れるような陽子のスピーチを、無理やりに加代子が止めた。「それじゃ、親が死んでも、それこそ陽ちゃんが事故にあっても、帰れないっていうの？　そんなの母親じゃないわよ」

「もちろん、そういう緊急時は全く別です。そんなときに飛んで帰る人を責める人はいませんよ。けれど、ただ『子どもを迎えに行く』という理由を理解してくれる人はいないでしょうね。母親が行けないときには父親がお迎えに行く。すごく当たり前のことであって、何も特別だったり誉められたりするようなことではありませんよね？」

一同に確認する形を取ってみたが、やはり誰も返事はしない。陽子は何だか、壁に向かって話しかけているような気分になってきた。

それでも、伝えるための努力を、途中で投げ出すわけにはいかない。

「今回のことは、本当に申し訳ありませんでした」義母に向かって、陽子は深々と頭を下げる。それと同時に、隣で他人事みたいな顔をしている夫の足を、テーブルの下で軽く蹴飛ばしてやった。慌てたように夫もひょいと頭を下げる。「お義母さんのおかげで、私たちは安心して仕事を続けることができています。お義母さんが陽介のために色々して下さることに甘え過ぎていました、私たち」

話しているうちに、陽子の頭の中も徐々に整理されてくる。

そうなのだ。やはり、加代子にも言われたように、甘えはあった。ＰＴＡだの父母会だのの話を聞いたとき、母親だからとボランティアを強制されることを理不尽だと感じたものだ。なのに、義母に対しては、「おばあちゃんなんだから」とボランティアを強制していた。実の孫だからといって、可愛いばかりじゃ済まないこともあるだろうに。男の子の元気さに振り回されることに、体調が追いつかない日だって多くあるだろうに。

孫の面倒を見させることが親孝行なんて、恩を貸しにすり替える、とんでもない理論じゃないか？　人の持ち物を「もらってあげる」と恩着せがましく言うのと同じくらい、厚かましいことじゃないか？

「……それで私たち考えたんですが」陽子は義母の顔を真正面から見やった。「今後、陽介をお迎えに行っていただいた時には、日当を払わせて下さい。私たちのお小遣いから、半分ずつ、負担しますので」

散々ごねる夫を言い負かして、出した結論がそれだった。

強制ボランティアでなくするためには、当然対価を払わなければならない……責任ある仕事に対する報酬として。

「そんな……親子でお金のやり取りなんて、水くさいじゃないの」

義母はごにょごにょと言う。実は夫も、まったく同じことを言っていた。親子である。

「もちろん、基本は夫婦で頑張ります。だけど今回みたいに、どうしても無理なときだってあります」本当は夫に関しては無理じゃなかったんだけど、と思いつつ、陽子は続ける。「そういうときのためのセーフティネットになっていただけるだけで、充分お金をお支払いする価値があります。だってお義母さんが引き受けて下さらなかったら、私たちは赤の他人に料金を払ってシッターをお願いしなければならないんですから」

「……受け取ることにしたら、お母さん」傍らから加代子が口を出した。「それで孫たちに何か買ってあげればいいじゃないの」

義母はあからさまにほっとした顔をした。

「そう、ね。そういうことなら……ほんの少しだけ、ね。ほんとに無理はしなくていいのよ」

「無理はしないよ、大丈夫」

そんなときだけ夫はキッパリと保証した。

「それにしても、そう、陽子さんは大変なお仕事をしているのね……よくわからないんだけれども、どういう感じのことをしているのかしら」

妙にうきうきとした声で義母に言われ、陽子は当惑した。義母は本をほとんど読まない人だ。作家の名前を言っても、本のタイトルを言っても、「ふーん」と流されるのは目に見えている。

「あの、あっ、最近でしたら、すごく話題になったドラマありますよね、『霧のトライアングル』。あの原作本を作ったの、私です」

「えーっ、ほんと？」

なぜか複数の声が上がった。義母と加代子である。

「あれ、面白かったわよねー、恋愛あり、サスペンスありで。私、あの主演の俳優さんが大好きで」

興奮して話し出す加代子に、義母もうんうんとうなずいている。

「そうですか。原作者の方がドラマのロケ現場を見学したいとおっしゃったので、私も同行したんですよ」

そうつけ加えたら、こちらが気圧《けお》されるくらいの勢いで羨《うらや》ましがられた。

二人から口々に、「陽子さんってすごいのねー」と言われた。人気ドラマのタイトルを出しただけでこの反応、さっきまで延々と言葉を尽くしていたのはなんだったのかと思う。

――でも、ま、良かったのかな。

仕事を認めてもらえるということ。それは陽子にとって、自分自身を認めてもらえることでもある。

それからは、最初の張り詰めていた空気が嘘のように和やかな雰囲気になった。二階から降りてきた子どもたちを交えて、持参したシュークリームなどを食べ、じゃあそろそろ失礼しますと立ち上がった。

「ちょっと待っててね、頂き物の海苔《のり》があるのよ」義母が引っ込み、「うちの分もある？」と加代子もキッチンへ消えた。残った美佐子が、ちらりと陽子を見、それからふと視線をそらせて言った。

「私も、セーフティネットになってもいいわよ」

「え？」

陽子が首を傾げると、美佐子は少し顔を赤くした。

「陽ちゃんのお迎えとか。お母さんがダメなとき、一応私にも電話ちょうだいよ。できる限りでいいなら協力するから」

「……ありがとう。すごく、心強いわ」

「別に。こないだのお詫び」素っ気なく言うが、一応気にしていたらしい。「セーフティネットは多い方がいいでしょ。それにどうせ私は、お義姉さんと違って、大した仕事じゃないし」

「違うよ、美佐ちゃん。大したことない仕事なんてないよ。責任のない仕事だってないよ」

力強く陽子は言ったが、あまり納得したふうではなかった。代わりに、ニヤッと笑って美佐子は言った。

「またお義姉さんの服とか、貸してくれる？」

とことんちゃっかりした末っ子である。陽子は苦笑してうなずいた。

「私がいるときならね。なるべくなら週末に来て」

少し離れたところで、夫が微笑ましそうに二人を見守っていた。おおかた、「うちの妻と妹が仲良くしてて、大いにけっこうだ」とでも思っているのだろう。美佐子との騒動で、そもそもの原因を作ったのは自分だって事は、たぶんきれいさっぱり忘れている。今回の義母との騒動の原因についても、姉や妹がオーバーに伝えたせいだくらいに思っている、絶対。

義母だってきっと、揉め事なんて起こすつもりはかけらもなかった。ただ、熱があるときに孫のお迎えに行く羽目になったことを、ほんの少し美佐子に愚痴っただけだ。それが週末夜に加代子に伝わり、そして加代子の日曜朝からの苦情電話に繋がった。しかも確実に余計な尾鰭《おひれ》がついて。げに恐ろしきは女同士のネットワークよと、まるで自分が女の一員じゃないみたいにして考えていると、突然陽介が粉砂糖のついた口でぱかっと笑って言う。

「おかあさんと、すごいおまつりに行くんだよねー」

子どもの記憶回路って面白い。しばらく前の出来事を、いきなりひょいと思い出したり。陽子自身が教えた話を、翌日に「ねえねえ、しってる?」と教えてくれたり。

陽子も微笑み返して言った。

「行くよ。ものすごーいお祭り、陽介と行くよ」

「俺は？　一緒に行けないの？」

不本意そのものといった顔で聞いてくる夫に、「さあどうかしら、ねー」と意地悪く応えてやった。

陽子にしてみれば、実に実にささやかな意趣返しなのである。ところがそのやり取りを、義母と加代子にしっかり聞かれていた。

「信ちゃんたら、尻に敷かれまくりよね。我が弟ながら不憫だわ」

聞こえよがしにそう言われ、また、その場の誰一人否定しないことに、思わずため息が漏れる陽子であった。

6

後日、玉野遥から電話があった。

「あのさー、いつか頼まれたアレ、こないだお姑さんにお会いしたから、聞いといてあげたわよ」

「いつかのアレ？」

陽子は首を傾げた。

「人にものを頼んどいて忘れるなっての、鬼子母神《きしぼじん》」

「誰が鬼子母神よ。もしかして、私に対する不満があるかどうかってやつ？　あれ、断られたと思ってたけど」

「口ではつれないことを言いつつ、やってあげるのが私の面倒見のいいとこなのよねー」オーバーに言って、遥はクスクス笑った。

「で、ほんとに『キツいお嫁さんで大変ですね』って言ったわけ？」

「まさか。『頭が良くて弁が立つお嫁さんだから、お姑さんとしてはタジタジですよね』ってオブラートにくるんどいたわ」

「それ、オブラート破けてるし」

「でも、やっぱあなたのお姑さんはいい人よ。悪口なんて一言も言わなかったわ。それでね、親切な私は一つアドバイスしておいたの」

「……嫌な予感がするんですけど」

「『あの人の場合、お嫁さんをもらったなんて考えちゃダメですよ。一見、女に見えるお婿《むこ》さんなんだって思わないと』って言っといたわ」

やっぱり、と思いつつ、先をうながす。

「で？　お義母さん、なんて言ってた？」

「冗談だと思ったんでしょうね、こっちとしてはわりと本気だし、かなり事実に近いと思うんだけど、軽く流されたわ。で、おっしゃったの。『陽子さんはいつになったらお仕事を辞めて、家に落ち着いてくれるのかしらねえ』って」

思わず、受話器を持ったまま頭を抱えていた。

確かに、遥はいつも物事の本質を突いている。彼女が言っていたように、専業主婦の姑と、仕事を持った嫁との間には、埋めようにも埋まらない、深い深い溝があるらしい……。

そう思い知ってしまった、陽介小学一年生の年度末。

第3章

男もたいがい、敵である

1

子育てとは自分育てでもあるという。

なるほど、ずいぶんうまいことを言うものだと、陽子は思った。

といっても、人間的に成長したとか、社会人としての成熟度が増したなんて寝言を言うつもりはない。子育てしただけでそんなふうに成長できるなら、世の中の親御さんは皆おしなべて立派な人物ということになってしまう。

「スポーツは若者の心身を鍛《きた》える」なんていう一般論は否定できずとも、現にどうしようもない運動部員はゴマンといる。それと似たようなものだ。

陽子が過去の子育てから学び、あるいは失敗し、経験として蓄積した結果、二度と同じ轍《てつ》は踏むまいと心に誓っていることが一つある。

他でもない、ＰＴＡ役員決めに関することだ。

一年生最初の保護者会で、「子どものために」と張りきって出掛けて行った陽子は、取り返しのつかない大きな失敗をしてしまった。仕事があるから役員はできないと言い放ち、クラス中のお母さんたちを敵に回してしまったのだ。

今にして思えば、引き受けられないなら出席もするべきではなかった。まったくのところ、後の祭り以外の何物でもないのだが。

しかもその場でいきなり役員決めが始まる保護者会というのはクラス替えのあるときのみらしく、今回は事前アンケートが配布された。引き受けられる役員や係のところに丸をつけて下さいとある。そして来年度引き受けられない人は、具体的にその理由を書くようにともある。

一年生から二年生は、そのままクラス替え無しの持ち上がりだ。つまりは保護者の顔ぶれもそのまま同じということで、嫌われ者の陽子が、たとえば学級委員に名乗りを上げた場合、二名枠のうちのもう一人分が、永遠に埋まらない可能性がある……と思い至り、さすがに少々嫌な気持ちになった。

それならば、来年度の役員を引き受けられない正当かつ穏当な理由を作ってしまった方がいい。既成事実というやつだ。

陽子が二年生での学童保育の父母会役員を引き受けることにしたのは、以上のような深い（あるいは極めて計算高い）理由からである。そちらは三月初めの父母会で一部承認されるため、タイミング的には申し分ない。あとから配布されたＰＴＡ役員決めアンケートには、引き受けたいのは山々だけれども、あいにく学童保育の役員に決まったために来年度はお引き受けしかねます、たいへん申し訳ありませんと、ひたすらしおらしく低姿勢なコメントを書いておいた。新年度最初の保護者会にも、無理をしてまで行くのはやめておく。これで少なくとも今年は、新たな敵を作ったり、よりいっそう嫌われたり、なんてこととは無縁だろう。PTAについては、クラス替えがある三年生以降で考えればいい……もしかしたら、そのままうまいこと逃げ切れるかもしれないし。

我ながら、なんと成長したものだなあと思う。もとより、他者の同意を得られるとは、微塵《みじん》も考えていないけれども。

四月になり、昨年同様、学童保育所では新一年生歓迎会が行われた。終了後、父母会が行われるのも昨年通りである。会長、副会長にはちょうど二人いた父親が推挙されたのも昨年通り。男性が圧倒的少数の場合、彼らに「長」のつく任を押しつけるのは拍子抜けするくらい簡単だ。女の一員として、いささか卑怯《ひきょう》だとは思ったし、結果的に自分たちを貶《おとし》める行為だとも思ったものの、そのまま成り行きに任せることにした。この流れで「それはちょっと……」などと常識的な意見を述べるには、自分が長を引き受けるしかない。そんな面倒臭そうな役回りは、まっぴらごめん被《こうむ》りたかった。

そもそも仕事が忙しいから、子どもを預けて働くのだ。父母会役員としての仕事でさらに忙しくなるようでは、元も子もあったものではない。

とというわけで、陽子としては父母会行事なんてものは徹底的にスリム化し、最低限、形だけつくろっていればよろしいと考えていた。それが義務だと言うなら仕方ない、やりましょう。ただし、無駄を省いてごくシンプルに、ちゃっちゃと省エネで済ませましょう。エコの時代だし。

皆が忙しい学童保育所父母会ならば、当然それが保護者全員の総意だと思っていた。

——甘かった。

父母会後続けて行われた役員会議。議題は六月終わりに予定されている、親子遠足について。

なりたてほやほやの会長挨拶は、むやみやたらと長かった。そして気圧《けお》されるほどに、熱かった。すごく、嫌な予感がした。

「……僕はね、子どもとのコミュニケーションってのは時間じゃないと思うんですよ。たとえ普段は寝顔しか見ることができなくってもね、休みの日に思いっきり遊んでやるとかさ、そういうね、密度がね、大事だと思うんですよね。メリハリね、そういう、うん」一人納得し、熱く語っている。「親子遠足、いいじゃないですか、ね。子どもたちだけじゃなくて、親同士仲良くなっとくのはすごく大事ですよね、子育てのこととか、色んな悩みとかね、話し合える仲間になれたらね、すごくいいなと思うんですよね」

——私はあなたと悩み相談ごっこなんてしたくありません。

陽子は心の底から思ったが、顔だけは皆と同じく曖昧な笑みを浮かべて拝聴する。新会長の話はさらに続いた。

「この親子遠足もね、皆で協力して、子どもたちが一生忘れられないようないい思い出にね、できるとね……」

一生？　いきなりそんなとこまでハードル上げる？

陽子はこめかみをそっと押さえた。親子遠足なんてものは、大きな公園かどこかで適当に子どもたちを遊ばせて、お弁当を食べて、そのあと軽くゲームでもして、迷子やけが人が出なきゃ大成功ってなものじゃないのだろうか。一人二人、噴水だの池だのにはまるのはご愛敬、くらいのものじゃ。

少なくとも、保育園の親子遠足はそうだった。あれはほぼ先生が仕切ってくれたから楽だったし。

「……あの、行き先は例年通りちびっこランドで決まりですよね。一生忘れられない思い出って、いったい何をするおつもりですか？」

我慢できなくなった陽子は、新会長の演説を遮って尋ねた。会長はやや目を見開き、ハンカチで首のあたりを拭いながら言った。

「それはね、ゲームとか……今からの話し合いで」

「会長としては、具体案はあるんですか？」

容赦《ようしゃ》なく詰め寄ると、相手は困ったように首を傾げた。

「えーっと、そうですねえ……」考え込んでいた会長の目が、ぱっと輝く。「そうだ、スイカ割りなんていいんじゃないかねえ……最近、あんまりやらないけど、楽しいよね、あれ。大人も子どもも盛り上がるよねー、きっと。六月ならもうスイカ、売ってますよね」

「売ってますけど、まだかなり割高ですよね、その頃だと。予算、足りますか？　それとも参加費に上乗せですか？　それに、児童数五十二名、その保護者が最低一人参加するとしても百名以上、それだけの人数分のスイカを、誰がどこで調達して、どうやって現地まで運ぶんですか？」

「それは、誰かの車に載せてもらって……」

「会長さんは車、出せます？」

「いや、僕は運転、できなくて」

会長はまたハンカチで、額あたりの汗をふく。

「車は私が出してもいいですけどね」

副会長が助け船を出し、会長の顔が嬉しげにほころんだ。そこへ、氷のナイフを突き立てるように陽子は言う。

「園内はかなり広いですけど、お昼までの間、大量のスイカを持ち運ぶわけですか？

子どもからも目を離せませんし、突然走り出す子も多いですし、大変過ぎません？　もちろんスイカを冷やす手段もないですよね。棒でたたき割ったままのスイカなんて皆に配れませんから、包丁も持ち歩かないと……かなり危険ですけど。まな板もいりますしね。それから食べ終わったあとの大量のゴミ。これも当然持ち帰りですよね。今はゴミを捨てるのも有料ですが、役員で分担して負担するわけですか。それと、芝生広場にスイカの種をまき散らすって、どうでしょう。やるなって注意しても子どもは絶対やりますよね。他のお客さんに迷惑だし、顰蹙《ひんしゅく》を買うと思いますが」

大雨で増水した大河のごとく、すべてを押し流す勢いでとうとうとまくしたてると、その場はしんと静まりかえってしまった。

ふと見ると、正面に腰かけた会長は少し顔を赤くし、拗《す》ねた子どもみたいな怨みがましい目でこちらを見ている。

——またやってしまった。

内心で、陽子は頭を抱える。

学童保育所父母会役員就任初日。

陽子はさっそく、会長氏を敵に回してしまったらしかった。

2

後で、玉野遥に言われた。彼女も、今年の父母会役員なのである。

「あんたは、正論で相手を追い詰めていくタイプよね。いやあ、追い詰めるなんて生やさしいもんじゃないか。立っているものすべてをなぎ倒す勢いよね。あとにはもう、ぺんぺん草一本残らない感じ」

「……人を災害か何かみたいに」

「近いものはあるわね。それか、肉食獣？　会長さん、ライオンに襲いかかられるウサギちゃんみたいで、ちょっと気の毒だったわ」

完璧《かんぺき》に面白がっている。彼女は陽子が今年学童保育の役員を引き受けると聞き、「じゃあ私も」と続いたのだが、どうもその理由は友情を感じてくれたからじゃなさそうだ。「あなたを観察してると飽きないのよね」とよく言われるし。ウォッチングの対象として面白い、ということらしい。

たとえサファリパークの住人と言われようが、陽子は自分がそれほど間違ったことをしたとは思っていない。あの場合、角《かど》を立てないためには言葉を選びつつ、やんわり、遠回しに、問題点を幾重にもオブラートでくるんで少しずつ提出する必要があったのだろう。一方で無難な対案、要するに「去年と全く同じ企画」をそっと出す。合間合間に、笑顔や視線で他のメンバーの賛同を促しながら……ものすごく迂遠、かつ高度な技術を要する会話運びである。もしこの方法を採っていれば、新会長の面子はつぶさずとも済んだかもしれないが、時間はきっと十倍かかっていた。

やってらんないよ、と多忙な陽子としては思うのである。

「――まあでもさ」笑いすぎたと思ったのか、遥はフォローするような感じで言った。「みんな内心じゃありがたがってたと思うよ。早く終わらせて帰りたいのも、スイカを両手に親子遠足なんてしたくないのも、気持ちはみんな一緒だろうから。最悪なのはさ、誰も何も言えない雰囲気になっちゃって、素っ頓狂な提案がまかり通っちゃうケースよね。気の弱い人ばっかりだと、そういうこともあるみたいよ。いやー良かったわー、あなたみたいな強力なストッパーがいてくれて」

「誉めてんだかけなしてんだか」

「あら誉めてるのよ」遥はふっくらとした肩を揺すった。「それにしてもさー、あんたってば同性を敵に回すタイプだとは思ってたけど、異性も敵に回すのね」

「ああ、回す回す。バリバリ回すわよ」陽子は半ばやけくそのように応えた。「仕事でだって、男を敵に回しまくりよ」

「へーえ」

興味深そうに、しかし意外でもなさそうに遥は相づちを打つ。

敵その一は、同じ部署の後輩男である。こいつの取り柄は学歴だけで、はっきり言って無能だ。その事実を当人は認めておらず、プライドだけはチョモランマのように高い。そして男であるというだけで、無条件で女より上等な生き物であると思っている。

大嫌いだった。

電話の応対は、会社員として基本的な仕事の一つだと陽子は考えている。どんなに忙しかろうと、スリーコール以上電話を鳴らしてはならないとも考えている。そしてそれは後輩男にも、口を酸っぱくして伝えてある。

なのにヤツは電話を取らない。自分以外の誰かが取るのを、明らかに待っている。

会社で電話に出るということは、仕事が増えることと同義である。同僚を名指しでかけてくるものなら、取り次ぐ一手間、伝言メモを書く一手間ですむ。だが本を作っているという仕事柄、編集部にはもっとやっかいな電話が山ほどかかってくる。

それはまったく会ったこともない誰か、その日初めて名前を聞く誰かから。大昔に出した本の何ページのとある漢字が間違っているという指摘であるとか。図書館で借りた本を読んでいたらミスに気づいたので、とその親切な人は言うが、再版分でとっくになおっている間違いだったりする。さらには、その本はとっくに絶版になっていたりもする。

もちろん、読者からの指摘はとてもありがたい。著者や編集サイドで気づかなかったミスを報《しら》せてくれることだってある。だから謹《つつし》んで拝聴するのだけれども、正直、校了まったただ中や出掛ける寸前だったりすると、ありがたい以上に猛烈にイライラさせられ、うんざりしてしまう。

もっとうんざりするのは、ある種の危ない感じのする人々からの電話だ。最近出たあの本は、自分の私生活をのぞき見して書かれたものであり、けしからん。なんと奇怪なことに、作者は自分の頭の中までのぞき見している。その事実に自分は恐怖しているし、まともな生活を送れなくなっている。ついては、作者に渡っている印税をそっくりこちらによこしなさい。自分には当然その権利があるはずだ……云々《うんぬん》。

こんな電話の相手をするのは仕事ではないと、後輩男は思っている。「無駄無駄、時間の無駄」と、吐き捨てるように言っている。

「それじゃ、同僚にその無駄な仕事を押しつけることについてはどうなの？」

陽子が尋ねると、相手はしれっと言った。

「オレ、小原さんみたいに、ああいう手合いをうまくあしらえないんですよね。受付嬢みたいなしゃべり方も、できねーし。やっぱ女の人が出た方が、ああいう連中も少しはおとなしいんじゃないですかねー。向いてる人がやって、さっさと終わらせた方がいいんじゃないですかねー。小原さんいつも、さすがって感じじゃないですか」

やたらぺらぺらと、よくしゃべる。一見、陽子を持ち上げているようで、言っていることは要するに「電話応対なんて女にやらせときゃいい」なのだ。

「——できねーんじゃなくて、やらないだけでしょ」ドライアイスの冷たさで、陽子は言ってやった。「自分の無能を正当化してるヒマがあったら、さっさと電話に出なさいな」

相手はむうっと黙り込み、それからわざとらしく「用事を思い出した」とかで出掛けてしまった。

以来、何かと突っかかってくる。完璧に嫌われている。陽子にしてみたら当然の注意をしたまでなので、別に気にはしていないものの、うっとうしいことこの上ない。

職場の敵は上にもいる。

部下の手柄を臆面もなく自分の物にしてしまうやつ。思いつきでその場を掻《か》き回し、挙げ句失敗を部下に押しつけるやつ。自分の面子が最重要で、その為なら他者に迷惑をかけようが仕事が滞《とどこお》ろうが最善の結果が出せなかろうが、まるで意に介さないやつ。

こうした人種が陽子は大嫌いだった。まずたいていは男で、彼らの方でも陽子を嫌うか、あるいはあからさまに苦手感を出してくるかである。

「やり方が下手」と、若い頃、先輩女性にたしなめられたことがある。「男なんてさ、

『この女は俺を立ててくれている』って思わせときゃ、思いどおりに動かすのはそんなに難しくないんだから。せっかくきれいなんだから、女らしく、可愛く下手《したて》に出ときゃ、それだけでうまくいくことって多いと思うわよ」と。

なるほど、たいがいの男は、フェミニンな女に対しては目尻を下げて、何かと可愛がり、便宜を図ってやろうとする。そして陽子のようなタイプ相手には、とたんに敵意剝《む》き出しになる。陽子が敵と見なす前に、向こうから敵視してくれるのだ。

だが陽子はそれでかまわなかった。「可愛がる」というのは、相手を数段、下に見ないとできない行為だから。

――男がプライドの塊だっていうのなら、それでけっこう。だけど私にだって、譲れないプライドはある。

そんな陽子は社内でときに、「ブルさん」と呼ばれることがある。例の後輩男性からは「ブルドッグみたいにやたらと嚙みつくからですか？」と真顔で聞かれた。それに対し、敵上司は含み笑いをしながら答えた。

「ブルドーザー女、だよ」

昔、担当していた作家からエッセイのネタにされたことがあるのだ。「さながらブルドーザーのごとく、強引に仕事を片付けていくO女史」と。その一文が入ったエッセイ集は、陽子自身が単行本にした。今では文庫になり、そこそこ版を重ねている。そのため、未だにそれをネタにからかわれることがあるのだ。

猛犬だろうと土木機械だろうと、なんでもけっこう。外野からどう思われようと、陽子は気にしていなかった。あだ名の由来となった作家とは、一時期極めて親密になりかけたことがあり、そのときに軽く苦情を言ってみた。あなたのせいで私は社内でブルさんよ、と。

すると相手は涼しい顔で言ったものだ。

「何が悪い？　パワーと能力と機能美にあふれてて、それでいてクールな機械だろ。最高じゃないか。僕は小さい頃から、ブルドーザーが大好きなんだ」と。

結局、公私混同を良しとしない陽子の性格から、実際に付き合うことはなかったけれども、その言葉だけは今でもありがたく心にしまってある。誉め言葉としては喩《たと》えが微妙すぎるし、普通、女はこんなことを言われて喜ばないとは陽子だって思った。けれど、たぶん自分の本質的な部分を理解してもらえたようで嬉しかったのだ……あくまでそんな気がしただけで、ひょっとしたら勘違いかもしれないのだが。

ともあれ、陽子がブルドーザーと化すのはあくまで仕事の場においてだけである。少なくとも、陽子自身はそう思っていたのだが……。

3

父母連絡協議会、略して父母連協が、学童保育所の父母会に於いて、陽子に割り振られた仕事である。

そう言われても、何のことやらなのだが。前任者の説明も「えっとー、年に二回くらい、会議に行くんですー。そこで出された資料とかをー、コピーして家庭数で配ったりー」と、さっぱり要領をえない。

その会議とやらは、毎月第二日曜日の午前中に行われる。だが、共稼ぎ家庭の貴重な休みを、月一ペースで奪われるのはたまらない。そこで前年度から役員の人数枠を増やして十二名とし、二人ひと組で年二回出席するということになったらしい。確かに陽子としても、年二回の負担ならまあ、許容範囲かとも思う。

そして肝心の会議の内容だが、遅まきながら、今まで流し読みしてきた資料に目を通してみた。要は市内全域の学童保育所が、それぞれ代表者を送り込んで現状の問題点や今後の改善点、要望などを話し合い、意見を取りまとめて行政側に上げるための組織、ということらしい。

確かにそれは必要なものではあるのだろう。ちっとも知らなかったが、保育園でも同じような協議会が設けられているということだった。相互の交流も盛んとのこと。保育園児はいずれ学童保育所に入るのだから、当然と言えば当然なのだろう。

父母会役員になってすぐ、その第一回目の会議があるということだった。取り敢えずその日はスケジュールが空いていた陽子は「私が行きます」と手を挙げた。いずれやらなきゃならないことなら、早めにさっさと済ませるに限るのだ。

会議が開催される市民センターに行ってみて驚いたのだが、最初の議題はなんと役員決めだった。全学童保育所はA群とB群に分けられていて、一年交替で役員をこなさなくてはならない。そして陽子の学童保育所は、今年が当たり年だった。

――聞いていないにもほどがあるわよ。

連れは新一年生の母親で、まるで大学の講義室に放り込まれた小学生みたいな顔をしている。

「あの、あの、よくわからなくて、私……」と、すがるような眼で陽子を頼ってくるのだが、陽子にだってなにがなんだかわからない情況だ。

議長の話を聞いているうちに、とんでもないことが発覚した。別に悪事じゃないのだから発覚というのは変かもしれないが、陽子にとってみればまさしくそんな感じだった。役職のうち三役、すなわち議長、副議長、そして書記を仰せつかった各学童保育所代表は、毎週土曜日に行われる別な会議に出席しなければならないのだ。それは行政側に声を届ける場であるらしいが、それ以上詳しいことは陽子には必要なかった。強烈に理解したのは、とにかく三役だけにはなっちゃいけない、ということのみである。

だってそうではないか？　単純計算して、うちの役員六組で分担するとして、年四十八回の土曜日のうち最低八回はつぶれることになる。日曜日の会議ノルマと合わせると合計十回。ほとんど毎月のように、会議に出なければならないわけだ。しかも議長にでもなった日には、普通に考えて、会議の資料作りだの当日の議事進行だのの仕事が、もれなくついてくるというわけで……。あらゆる責任もどっかり肩にのしかかってくるというわけで……。

何しろ市内すべての学童保育所に、保育園の父母連協代表、NPO何とかの代表、場合によっては市職員や市会議員が出席したりする、きわめて公益性の高い大がかりな会議である。

「すみませーん、子どもが熱出しちゃったんで、今日はお休みしまーす」とか「仕事で急な出張が入ったから行けませーん」なんてことが通るはずもなく……。冗談じゃない。全力で阻止しないと。

さすがに動揺しつつも、陽子は素早く他の役職について検討を始めた。

三役以外と言えば、まず会計。二学童保育所で前後期交代するらしい。それから月々の会議の場を確保する会場係。予約、鍵の管理、会場整備を行う。それから保育係。何だそれはと思ったら、幼い子どもを連れての参加を可能にするため、小会議室で皆の子どもを集めて面倒を見るということらしい。

どう考えても、会場係が一番楽そうである。それなりの責任はあるものの、年間の会議予定日はある程度決まっているのだから、まとめて予約してしまえばいい。会場整備も最後の原状回復も、皆に声をかけて動いてもらえばいいわけだし、最後まで残って鍵をかけるくらいは造作もないことだ。

保育係は預かる人数にもよるが、体力勝負になりそうだ。二時間ほどの間、まったく知らないよその子の面倒を見るわけだから、怪我《けが》などさせないよう神経をすり減らさねばならないだろう。手洗いに連れて行ったりなどの世話を考えると、ある程度の頭数も必要だ。肝心の会議にも、最低一人は出さねばならないわけだし。三人ひと組に変更するとして、会議出席ノルマは二回から三回へ増えることになるが……三役に就任してしまった場合を考えれば、はるかに許容範囲内である。皆一応子持ちなのだから、子どもの相手ができない人もいないだろうし。

第一希望としては会場係。無理そうなら保育係……そこまで考えて、陽子は周囲の声に耳を傾けてみる。誰しも考えることは同じとみえ、「会場か、保育だね」と相談する声ばかりが聞こえてくる。傍らの相方も、「やっぱり会場か、保育でしょうか……」と小声で話しかけてくる。

「……それは、危険よ」さらに小声で陽子は耳打ちした。「見たところ、みんな同じこと考えてる。希望多数の場合はジャンケンかくじ引きでしょ。三役になっちゃう確率の方が高いわ」

「そうです、ね……じゃあどうしましょう」

「三役の次に人気がなさそうな会計を狙いましょう。多少は面倒だろうけど、毎週会議出席に比べたら、ずっとマシなはず」

「そうですね……」相方は不安と安堵をないまぜにして、上から不満を振りかけたような、複雑な表情を浮かべた。「それにしてもどうしてこんな重要なこと、引き継ぎのときに言ってくれなかったんでしょうね」

それは二年に一度のお役目だからだと、陽子は思う。前年度の担当者は、ただ一参加者として、会議室のテーブルに首を並べていれば良かった。それも、年に二回だけ。仮に前年度の担当者から何か聞いていたとしても、自分たちとは無関係のことだから記憶にも記録にも残らない。そして二年に一度、貧乏くじを引いた者たちが大いに慌てることになる。そこには何の積み重ねも、継続もない。

市民活動というものの、限界と実態を見た思いであった。

陽子を含め、ここに集まったほとんどの人間が今考えているのは、いかに少しでも楽にこの一年を乗り切るか、である。学童保育の現在とか未来とか、高邁《こうまい》な思想を抱いてこの場にいる者が、さてどれほどいるだろう？　何のためにここにいるかもよくわかっていない、ただ義務感から集まってきた、まさしくこれは烏合《うごう》の衆なのだ。

陽子は連れと簡単な打ち合わせを済ませ、前年度議長の言葉を待った。やがて彼女は言った。

「ご検討、終わりましたでしょうか。ではまず、立候補を募りたいと思います。議長、副議長、書記。このどれかをやってもいいと思われる方はいらっしゃいますか」

あたりは水を打ったように静まりかえっている。諦めたように、議長は言った。

「では会計は……」

みなまで言わせず、陽子と連れは勢いよく手を挙げた。

「はい、会計、やらせていただきたいです、ぜひ」

あまりの力の入りように、周囲は軽く引いている。

他に希望者がいなかったこともあって、見事一発当選であった。

4

六月最後の土曜日、山田一家は早朝から「ちびっこランド」へ向かった。広いピクニック広場やミニ動物園、大がかりな遊具などを備えた、子どものための遊び場である。

近隣では幼稚園や保育園、低学年の子どもの遠足はここと、相場が決まっている。陽子たち親子も、既に何度となく来たことがあった。

集合場所のチケット売り場前に行くと、見知った顔がぺこりと頭を下げた。同じ父母連協仲間で、一年生の母親である。

「私、今月の会議、行ったんですよー」

ごく親しげに、彼女は言う。さすがに一年生の母親にまでは陽子の悪評は伝わっていないらしく、陽子としても気が楽だった。

「そうでしたか。お疲れ様でした」

「いやもう、いきなり会計なんて言われてびっくりですよ。五月担当の人から帳簿だの何だの、どさどさっと渡されて」

「そりゃ、びっくりですよね。でも、議長や書記になるよりずっとマシだったんですよ」

そう言うと、相手はうんうんとうなずいた。

「ですってね、内田さんから聞きました。山田さんの機転がなかったら、あとはジャンケン勝負だったんですってね。ほんと、毎週会議なんて冗談じゃないですよ」

内田というのが、四月の相方の名前である。

「年会費、順調に集まってます？」

各学童保育所の父母会費から、児童一人あたりいくらと定めた金額を徴収し、会議の運営費に充《あ》てている。それを管理するのが会計の仕事だった。

上半期担当が会費を集め、下半期担当が会計報告を作成する決まりである。ならば上半期の方が楽ととっさに判断し、「じゃあうちは先に担当させていただきますね」と宣言した。先に言ったもの勝ちな感じで、その主張はすんなり通ってしまった。何しろ後から決まった学童保育所は、ジャンケンで三番目に勝ち抜き会計に滑り込んだばかりである。事態が把握し切れていないのは明白で、少々卑怯とは思ったものの、そこに付け込ませてもらった。彼女らが「やられた」と気づくのは、おそらく年度末になってからのことだろう。細かいことではあるが、会計報告は来年度の四月会議で行われるから、出席義務は一回分増えるわけだし。そんな報告、誰もしたくないから、来年になって揉めるのは目に見えている。誰が会計報告書を作成するかって問題もあるわけだし。

とっさの判断としては、実に正しかったと陽子は胸を張っている。

「それが、年会費どころじゃないんですよ」

相手はうんざりしたように首を振った。

「前年度に間に合わなかった領収書とかが後から出てきちゃったり、会計報告と残金が合わなくて前の会計の人が帳簿持ってっちゃったり、もう何が何だか。それでも、今年度分の記録はきっちりつけときましたけど。けっこう細々と、コピー代とか来てましたよ。ほんとに、山田さんが書いてくれたマニュアルがなかったら、どうなってたか……ほんと、ありがとうございました」

「今までマニュアルなしにやってたってのも、びっくりよね」

陽子はため息をつく。

何と前任者からの引き継ぎは、口頭であった。それも、相手は何とも頼りない。陽子のところと同じで、前任者も多人数交代制で会議に出席し、負担を分散していた。皆が多忙な兼業主婦とあっては、どこもそうするほかないのだろう。しかしこのシステムには、重大な欠陥があった。負担と共に責任も分散してしまい、一人一人の責任感が極めて薄いのだ。

一子相伝の口伝《くでん》じゃあるまいしと、陽子は苛立ちながらも重箱の隅をつつきまくるような質問を繰り返し、メモを取っていった。まるで無関係みたいな感じでぼうっと立っていた下半期担当者も促し、メモを取らせる。最後に「万一のため」と前任者の電話番号を尋ねると、ちょっと嫌な顔をされた。何で私がと思っているのがありありだ。重ねて笑顔で「お願い」すると、相手は怯《ひる》んだような表情でしぶしぶ携帯電話の番号を教えてくれた。個人情報ではあるし、気持ちはわかる。けれども、この細い糸が今切れてしまったら、何かあったとき、誰に尋ねることもできなくなりそうなのだから仕方がない。

帰宅してから陽子はパソコンに向かい、詳細な会計マニュアルを作成して人数分印刷した。自前のノートも提供し、引き継ぎ帳を作る。そこへもマニュアルを貼り付け、担当者から担当者への伝言を記録することとした。前任者の電話番号も、きっちり書いておく。

これだけの作業で、残る半日がつぶれてしまった。せっかくの日曜日がと哀しかったけれども、ちゃんと役に立っているらしいから報われたと言えば報われた。

そうこうするうちに、親子遠足参加メンバーが集まってきた。今回児童は三十名ほど、そしてその保護者三十数名、未就学児の弟や妹が五名前後と、トータル七十名ほどの参加である。山田家のように、両親揃っての参加はさほど多くない。

人数が曖昧になるのは、当日熱を出す子どもが必ずいるであろうということと、それとは別に、「朝、起きられたら行きまーす」とか「現地でお昼頃合流しまーす」とか言っている自由気ままな保護者が何人かいるためだ。もうそういう人たちには、どうぞご勝手にと言うほかない。彼らは参加名簿にも載せず、自由参加ということにした。

そうした自由人以外は全員集まり、「あれそう言えば会長さんは？　副会長さんもいないわ」などと言っていると、駐車場の方からゴロゴロゴロゴロとやかましい音が響いてきた。見ると会長その人が、折りたたみ式のカートに山ほどのスイカを載せて、喜色満面で近づいてくる。その後ろには、その息子と副会長親子の姿もあった。

「……それ、どうやって持ってきたんですか？」

さすがに驚いて尋ねると、会長はふふんという顔で陽子を見た。

「副会長さんに車を出してもらってね。いや、苦労しました」

そりゃ苦労するだろう。あなたはスイカ売りのおっちゃんですかと突っ込みたくなる。園に入場する前からもう汗だくだ。

そしてこの人はひょっとして、総面積百万平方メートルあるとかいう「ちびっこランド」を、やたらと重い上にやかましい音を立てるこのカートを押して、ひたすら練り歩くつもりなのだろうか？　じっとりと蒸し暑い中、ひとときもじっとしていない子どもをつれて？

ひょっとしなくても、そのつもりなんだろう。

「……ど根性ね。男の面子を保つためには、なりふり構っちゃいられないのよ」

玉野遥が呆れたような、半ば感心したような声を上げた。

どうぞ勝手にして下さい。

陽子は心の中で投げやりにつぶやく。

団体チケットで入場した一行は、まずは入り口近くにある遊具広場で子どもたちを遊ばせることにした。巨大すべり台やアスレチックなどがあり、子どもたちは何度来てもそこで夢中になって遊ぶのだ。

一応、引率側の目論見《もくろみ》としてはここで小一時間ほど遊ばせ、子どもをいい案配に疲れさせる。遅れてやって来る参加者がいても、ここならすぐ合流できるだろう。それからピクニック広場に移動を開始。けっこう距離があるし、さすがに突然走り出したり池に落ちたりする元気は、あまり残っていないだろう。それを、目の前にぶら下げたニンジンでひたすら歩かせる作戦だ。

「あのねー、ピクニック広場の隣に、牧場があるんだって。牧場って知ってる？　牛さんがいーっぱいいるところ。その牛さんから搾《しぼ》ったミルクで作ったソフトクリームが、ここの名物なんだってさー」そう説明しながら、陽子はことさら大袈裟に叫ぶ。「ものすごーく美味《おい》しいんだって。食べたい人ー」

子どもたちは競うようにして「はーい、はいはいはいはい」と手を挙げる。小学生も低学年くらいのうちは、まだまだ他愛なくて可愛いものだ。

陽介も陽子に向かい「アイス、楽しみだね」とにっこり笑う。アイスクリームじゃなくてソフトクリームだけど、そんな些細な違いはどうでもいい。

「楽しみだねー」と陽子も笑う。

ニンジン効果抜群で、一年生から三年生の児童がせっせと文句も言わずに歩くなか、ゴロゴロゴロゴロと例のカートの音が少し遅れてついてくる。子どもたちは初めこそ「わーすげー、スイカだ」と群れていたけれども、もうすっかり興味をなくしている。

会長はひたすら汗をかきつつ、ゴロゴロゴロゴロ……。何だかもの哀しいその音を聞いているとな「ドナドナ」でも歌ってやりたくなるというものだ。

人の好い夫は、「大変ですね、押すの代わりましょうか」と声をかけた。会長は意地になっているのか「いや結構」とつっけんどんに応えている。夫の方は、自分がいつの間にか会長にとって「敵とその一味A」になっていることなど、知るよしもない。

小声でハミングしていると、それを聞きつけた陽介が「にーばーしゃーが、ゴートゴート」と大声で歌い出した。そっと振り返ると、会長がなんとも言えず怨めしそうな目で、こちらをじいっと睨《にら》んでいる。陽介が「敵とその一味B」に認定されたんじゃなければ良いけどと、陽子は内心気をもんだ。

「……陽介、別な歌にしない？」

そっとささやく。すると陽介は、いっそう大きな声で歌い出した。

「いーもーむーし、ごーろごろ」

ゴロゴロゴロゴロゴロ背後からの音は続く。

「……その歌も、ちょっと……」

「ナイス選曲」

会話を聞いていた玉野遥が、遠慮なしに笑ってくれた。もう、後ろを振り返る気にもならない。

途中、白鳥池もあったし、浅い「ジャブジャブ川」もあったのに、奇跡的に一人もはまらず、行方不明者もけが人も出さずに、一団は無事ソフトクリーム売り場にたどり着いた。事前予約をしているので、団体受付で支払いを済ませてから一列に並ばせる。子どもたちは期待にあふれた顔で、お行儀よく行列を作っている。ソフトクリームを受け取った親子から、順次近くの飲食席に移動してもらっていると、お終い近くで問題が発生した。最後に並んでいた親子の分が足りないのだ。母親と子ども二人分、計三つ。

原因はすぐにわかった。四月に一緒に会議に行った内田さんが、そっと陽子に教えてくれたのだ。

「後から合流するかもって言ってた土井《どい》さん一家が、あれ……」

言葉を濁して指差す先を見ると、見るからにヤンキーな風貌の両親とその息子とが、ちゃっかり座ってソフトクリームをなめている。

「朝起きられたら行くかも」なんて言っていた人たちだ。当然、彼らは参加費用を払っていない。

協調性ってなんですか？　団体行動ってなんですかと、それぞれの肩を揺すぶって問い質《ただ》してやりたい思いである。

陽子はため息をつきつつ、そちらへ近づいた。

「あの、土井さんですね？」内田さんが顔見知りということは、一年生の親なのだろう。もともとこの親子遠足は、一年生の参加率が最も高い。「土井さんからは参加費を頂いていないんですが、ソフトクリーム代、一人二百五十円、支払っていただけますか？」

「えー、父母会費から出るんじゃないの？」

頭の軽そうな母親が、しれっと言った。おまえは字も読めんのかいと、腹が立つ。

「出ません。参加していない方に不公平ですし。とにかく、一人二百五十円、今すぐ下さい。前もって参加費を払った方が食べられずにいるんですよ」

「……確かプリントには、二百円って書いてなかった？」

ちゃんと読んでるんじゃないのと思いつつ、陽子は冷ややかに首を振った。

「それは団体予約した場合の割引料金です。当日買う場合は二百五十円」

「えー、何かずるーい」頭の中が腐ってるのかと思うようなことを、相手は平然と叫んだ。「山田さんだっけー、そのくらい、奢《おご》ってよー。お金持ちなんでしょ？」

「ケチケチすんなよな、たかがソフトでよー」

横から父親も口を出す。夫婦揃って、脳味噌が腐敗しているらしい。

「たかがソフト代をケチっているのはそちらでしょ」

陽子が言い返すと、父親がいきなり立ち上がり、すごんできた。

「おい、チョーシこいてんじゃねーよ。子どもの前で恥かかすなよな」

陽子は眉一つ動かさなかった。

「お子さんの前ならなおさら、ルールは守ってください。七百五十円、今、いただきます」

男の前にぐいと手のひらを突き出すと、相手はちっと舌打ちをして小銭入れを取りだした。

トラブル処理を終えてようやく夫と子どもの元に戻ると、陽介がおいおい泣いていた。

「おかあさんのアイス、溶けちゃったよ」

ぽたぽたと垂れ落ちるソフトクリームになすすべもなく、心をいためてくれていたらしい。その小さな手からべたべたになったコーンを受け取り、大きくかじり取るように一口食べた。

「大丈夫。少し溶けてるけど、とっても美味しい」

そう言ってにっこり笑うと、今泣いていたのが嘘みたいに「そうでしょ」と手柄顔で笑い返す陽介であった。

その後の予定は、手洗いを済ませたあとで広場で親子ゲーム。これは指導員主導で行われる。その後、陣取った場所でそのまま昼食という流れ。とにかく、いったん子どもたちが広大な広場に散らばってしまうと、回収は非常に困難となるため、考えに考え抜かれたスケジュールである。

昼食後、まさに満を持してという風情で会長がスピーカーを持って立ち上がった。

「──これから、スイカ割りをします」

力強くそう宣言すると、子どもたちは「わーっ」と盛大な歓声を上げた。

内々の事情を知っている役員たちは、やれやれと顔を見合わせて苦笑する。

しかし結論から言えば、スイカ割りは大変な盛り上がりであった。特に男子とお父さんたちのはりきること、はしゃぐこと。

「男ってのはあれだね、歳は関係なしに棒きれ振り回すのが大好きな生き物だよね」

遥が笑ってそう言っていた。

陽介も、大喜びだった。目隠しして棒きれを振り回すこと。それで何かを叩くこと。それだけのことが、嬉しくて、楽しくて仕方がないらしい。夫まで、ゲラゲラ笑って参加している。すごく楽しそうだ。

会長は、「どうだ」と言わんばかりの満足げな表情で、腕組みをして見守っていた。

そこへ近づいていき、声をかける。

「あの、スイカ代、いくらかかりました？　私も負担させていただきます」

相手は虚を衝かれたようだった。陽子は小さく咳をしてから、続ける。

「ええと、その……ありがとうございました。すごくご苦労でしたよね。お蔭様で、子どもたち、とても喜んでいます」

すると会長の目が、少しばかり潤んだようだった。そっぽを向くような感じで、独り言のように言う。

「いいですね、お宅は一家お揃いで」

「え？」

「うちの女房はね、人が集まるところに出られないんですよ。幼稚園の役員やってて苛《いじ》めにあって、パニック障害になっちゃって……。女ってやつは……信じられんでしょう？　いい歳して苛めですよ。無視とかするんですよ。陰口叩いたり、離れたところからこそこそ笑いものにしたりするんですよ。ひどいでしょう？　それが人の親のすることですかね。だから父母会も、俺が頑張るしかないんです。精一杯、頑張るしか……」

こらえていた物を一気に吐き出すような、早口だった。陽子は胸が詰まるような思いでそれを聞く。

「……そう、でしたか……」

「うちの女房が、山田さんみたいな性格だったら良かったのに」

会長はぼそりとつぶやき、ようやくこちらを真っ直ぐに見た。

「さっきのソフトクリームのときみたいに。おかしいことはおかしいって、はっきり言える性格だったら。男相手にも堂々と物が言える性格だったら、こんなことにならなかったんでしょうけどね」

「私のような性格だったら、そもそも結婚なさってないんじゃありません？　強気の人生も、これでなかなかしんどいんですよ。嫌われて、山ほど敵を作って、孤独に生涯を終える覚悟が必要です」

「しかし、山田さんには優しそうなご主人がいるじゃないですか」

真顔で言われ、陽子は柄にもなく照れて遠くにいる夫を見やった。彼は今まさに棒を振り下ろし、スイカにクリーンヒットさせたところだった。ぱっくりと赤い果肉が顔を出し、どっと周囲の歓声が上がる。

「……そうですね。ずいぶんと、奇特な人です、本当に」

わずかに笑って、陽子は言った。

5

陽子がノルマである二回目の会議に出席したのは、九月のことだった。四月に相方となった内田さんから、「出てくれる人がいない」と泣きつかれたのだ。一応、その日は空いていたものの、会計の上半期担当が終わる月だということで、一抹の不安はよぎっていた。

当日になって内田さんから帳簿を見せられ、ぎょっとした。会費の徴収がまったく進んでいない。きちんと支払っているのは二学童保育所のみ……それも会計担当の二所である。

マニュアルには、毎月集金努力をするようあれほど強く書いておいたのにと、怒り心頭だった。議題が進み、議長が「その他に何かありましたら……」と言い終えるのも待たずに、陽子は勢いよく挙手した。

「会計より、大切なご連絡です。会計担当の二学童保育所以外、会費が支払われていません。以前にも申し上げましたとおり、金額は一児童あたり十円で、児童数が多いところでも七百円程度です。申し訳ありませんが、本日の出席者の立て替え払いをお願い致します。会の終了後、必ず支払って下さい。お願いします」

とにかく集金、集金。それが目下の最優先事項だ。

我ながら、まるでディケンズの小説に出てくる金貸しみたいだわと思いつつ、陽子は全会員を鋭い目で眺め渡した。

「あのう……」隅の方で、遠慮がちに手が挙がった。「夏休み明けで退所しちゃった児童も何人かいるみたいで、正確な在所人数が今ちょっとわからないんですが……」

なるほど、このために毎回毎回支払われないままずるずるきたわけか。

年間を通して、四月が一番在所児童数が多く、夏休み明けあたりから三年生男子を中心にぽろぽろ辞めていく。学童保育が肌に合わなかったり、クラスの友達と遊びたかったり、新しく習い事を始めたり、理由は様々だ。反対に、転入や母親が新たに仕事に就いたなどで、新規入所することもある。その増減は、一保護者にはなかなか把握し切れるものではないだろう。

「それでしたら、四月に新一年生が入所した時点を基準日とさせていただきます」

陽子は自信たっぷりに言い切った。そんな決まりはどこにも書いていなかったけれど、本来四月に支払われるべきなのだからそれでいいだろう。

「四月時点の人数でしたら、本部の方に記録がありますよね。小冊子を配るために確認していましたし」

議長サイドに話を振ると、

「ああ、ええ。ありますね」

副議長が資料をめくりながらそう答える。

「順番に人数を読み上げて下さい」

陽子が指示し、それがなされている間、相方にささやく。

「今のうちに領収書を用意しましょう。各学童保育所名と日付を書いとくの。私はA群をやるからBの方、お願い」

二人、大急ぎで作業する。会員は皆、人数把握ができた順にそれぞれのサイフを取りだして、小銭を数え始めていた。

「先に集金してしまった方が良さそうですね……大事なことですし」

朗らかに議長が言い、皆が一斉に立ち上がった。そのざわめきに負けないよう、陽子は声を張り上げる。

「ぴったりお持ちの方からお並び下さい。お釣りが必要な方は、少しお待ちいただけますか」

陽子が領収書と引き替えに会費を受け取り、内田さんが金額を確認した上で帳簿に記入していく。慌ただしかったが分業はうまくいき、みるみるうちに集金作業は終わった。

「ご協力、ありがとうございました」

陽子は全員に向かって言い、にんまりと笑う。仕事が能率的に進むのは、いかなる場合でも気持ちが良かった。

「後は帳簿を整えて、下半期担当にさっさと渡しましょ。これで任期満了っと」

満足した陽子が言うと、内田さんは感心したようにつぶやいた。

「なんか、山田さん一人で何もかもやってくれちゃった感じですね。ほんとに助かりました。ありがとうございます」

そう言われ、はっとする。なに私ってば、人一倍働いてるわけ？　そうするとなに、下半期に会議に出席する人は、ただぼうっと座ってればいいわけ？

いささか腑《ふ》に落ちないものを感じる中、議長が「それでは、他に何かありましたら……」と議事を再開した。すると議長サイドから手が挙がった。議長の紹介によると、前年度の議長であるという。そう言われれば、かすかに見憶えがあるような、ないような……。

　その、取り立てて特徴のない、どこにでもいる主婦そのものといった感じの前議長は、静かな声で話し始めた。

「初めましての方が、ほとんどですよね」そう言って、前議長ははにかむようににこりと笑う。「うちの子どもはこの三月に卒所しましたので、本当でしたらこの場にいる理由がないんですけれども、四月以降も時々、オブザーバーとして参加させていただき、活動のお手伝いをさせてもらっています」

　何と酔狂なと、陽子は思った。よっぽどヒマなのかしらと、失礼なことも思う。

「皆さんはどうして、この場にいらっしゃいますか？」

　いきなりのその問いに、陽子はどきりとした。彼女はふっと笑って続ける。

「私の場合は、くじ引きでした。とても人数の少ない学童保育所でしたので、何か役員をやらなきゃならないのはわかっていました。その時は、会長にならなくて良かったと思っていました。ところが何もわからないままこの会議に出席して、ジャンケンで負けて議長になんてなってしまって……本当に、どうしていいかわかりませんでした。たぶん、皆さんも同じような感じだったのではないでしょうか。それまで、こんな大勢の方の前でお話しするなんてこともありませんでしたし、自分の考えを人に伝えるのも、とても下手でした。その上、同じ学童で一緒に議長のお仕事をするはずだった方が引っ越してしまわれて……正直、とっても辛かったです。投げ出せるものなら、今すぐ投げ出してしまいたいと思っていました」

皆、しんとして耳を傾けている。彼女の気持ちは皆の思いとシンクロして、とても理解しやすかった。彼女の立場はまた、同じ働く母親としてあまりにも気の毒でもあった。

「毎週の会議にも、何もわからないまま参加して、そこで配られた資料をそのままこちらで配布して……そんな頼りない議長でしたが、だんだん、わかってきたことがありました。みんなで考えていかなければならないこと、声を上げていかなければならないことが、とてもたくさんあるってことが。皆が自分の子どものことだけを考えていたのでは、何も変わりません。むしろ悪くなる一方です。行政もまったく動いてくれません。残念ですが、一人一人の小さな声は、行政には絶対に届かないのです。皆さんがここにこうして集まっているのは、声を集めるための場を、常に用意しておく必要があるからです。何か問題が起きてからでは遅すぎます。保育の水準を下げられてからでは、遅すぎるんです。今、私たちが声を上げ続けていることは、今すぐ役には立たなくても、将来、学童保育所に入る子どもたちの役に立つんです。皆さんの下のお子さんや、後から生まれてくる子どもたちのために、この場はどうしても必要なんです」

彼女の真摯《しんし》な声に耳を傾けながら、陽子は考えていた。

彼女の意識の高さは、素晴らしいと思う。その言葉は、まったくの真実だとも思う。

彼女は、自分が誰からも教えてもらえず、戸惑い、迷いながら自身で見つけ出した答えを、必死で私たちに伝えようとしてくれている。それを自覚しているといないとでは、雲泥の差があることを知っているから。

けれど、いったいこの場の何人が、彼女と同じ高みにまで到達できるだろう。陽子自身も含め、皆あまりにも時間がない。余裕もない。前議長を、心から偉いなと思い、ありがたいと頭が下がっても、けれど自分にはできないとも感じてしまう。

そんな活動をしているくらいなら、もっと子どもと触れあう時間を増やしたい。

その本音は、利己的かもしれないけれども間違ってはいないだろう。真に子どものことを考えるならば。

それに、陽子としてはどうしても納得しきれないことがある。

なぜここでも、圧倒的多数が女なのだろう？

それは、陽子がＰＴＡに感じ始めている漠然とした不満と根が同じだ。

それほどに大切で意義のあることならば、なぜ父親もこぞって参加しないのだ？

呑み込みにくく、消化もしづらい思いを残して、陽子の父母連協としての仕事は終わった。誰にも文句は言わせないだけの働きはしたと、密かに自負している。

6

翌月、陽子の勤め先主催のパーティがあった。パールホワイトのスーツに身を包み、片っ端から挨拶をして回る。

会場の片隅に、珍しい人を見つけた。近づく陽子に気づき、相手は片手に持ったグラスを掲げた。

「やあ、ミス・ブルドーザー。ずいぶん久しぶりだね」

あだ名の名付け親にそう言われ、陽子は苦笑した。

「今じゃミセスですけどね」

相手は軽く眉を上げた。

「へえ、いつの間にか結婚していたんだ。何だ水くさいな、教えてよ」

すると脇から割って入った人物がいる。陽子が常日頃敵と見なしている上司だった。

「本当にいつの間にかなんですよ。当時はみんな驚いたもんです」

告げ口をする子どもの顔で、嬉しげにそんなことを言う。「鋼鉄製のマシンかと思ってたら、やることはしっかりやってたんですよね。もっと驚いたのは、それこそいつの間にか子どもまで産んでたってことで。そういや前の前の部署でだったかな、半年ほど病気休暇を取ってたって話でしたけど、今思えばその時にねー。計算が合わないとか、そういうことを言ってる人もいましたっけねー」

セクハラすれすれの下卑《げび》た口調だ。それに対して素っ頓狂な声を上げたのは、敵の後輩男だった。

「ええっそれマジっすか。初めて聞いたわそれ、そうなんすかー、うわマジ意外」

うるさいわおまえら黙りやがれと、内心で口汚く毒づく。

「しかし、君だって聞いてますよ」涼しい顔で作家氏は言い出した。「君、ひどい別れ方した彼女がストーカーになって、ずいぶん怖い思いをしたんだって？　そのせいで、未だに電話に出るのも怖いとか」

後輩男の顔が引きつっているところを見ると、どうやら嘘ではなさそうだ。

初めて聞いたわそれ、マジ意外ー。

棒読みでそう言ってやりたい誘惑に駆られたが、軽く眉を上げるのみに留めておいた。敵と同じレベルにまで落ちてたまるものか。

作家氏は、今度は上司の方に向き直った。

「あなたの噂も聞いていますよ。親御さんの介護問題で揉めて、今や離婚寸前だそうですね。いや大変だ」

人の悪い笑みを浮かべて、そんなことを言う。

二人はあたふたと、辛うじて急用を思い出した体《てい》をつくろい、その場から逃げ去ってしまった。

「……社内の人間ですら知らないそんな情報、いったいどこから聞いたんですか？」

呆れて陽子が尋ねると、相手はいかにも意地悪げに含み笑いをした。

「地獄耳なんですよ」

「そのわりには、私が既婚者だってことはご存じなかったみたいだけど？」

「面白くない情報は、シャットアウトすることにしてるもので」食えない上に油断のならない男はひょいと肩をすくめ、そしてからかうように言った。

「……ねえ、ミス・ブルドーザー。君は相変わらず、あらゆるものをなぎ倒して前に突き進んでるかい？」

「だから、ミセス」ですってばと、続けようとしてふと気が変わった。「……はいはい、ブルドーザー母ちゃんになって、日々驀進《ばくしん》していますよ」

にっこり笑ってそう言ってから、ひとつだけ嘘をつけ加えておいた。

「――向かうところ、敵無しです」

第4章

当然夫も敵である

1

「――もちろん、あなたが行ってくれるわよね？」

陽子はにっこり笑って夫に言った。

一応、問いかけの形はとっているものの、事実上の命令である。

対する夫の返事は、陽子ほどにはキッパリしていなかった。

「え、あ、うん……」

お終《しま》いの「うん」は、了承というよりは戸惑いの「うーん」に近いように思えた。その証拠に、夫はぼやくようにつけ加える。

「せっかくの日曜に、近所のおばちゃん達と茶飲み話かあ……」

「茶飲み話じゃなくて、自治会の会合。仕事よ、無報酬の。私だって学童保育の役員頑張ってるんだし、そろそろＰＴＡ役員も引き受けなきゃならないんだし、せめてこれくらいはやってもらわなきゃ。住民の義務よ」

山田家が所属している自治会は、五つの組から成り立っている。それぞれの組には十軒から二十軒の家庭が所属し、組長は原則として輪番制だ。十数年に一度のお勤めだから、どの家も特に異を唱えることもなく、きちんと順番通りにその責務を果たしている。山田家としてももちろん、義務は全うするつもりでいる。

ただ、ことが家単位である以上、直接その任に当たるのは夫婦のどっちであってもいいはずだ。

その時、陽子は猛烈に忙しかった。同時にいくつものやっかいな仕事を抱え、週末にも出社しなければならず、さらにはその合間を縫って学童保育所の卒所お別れ会と入所お祝い会の企画準備を同時進行させていた。徹夜明けのふらふらの状態で、そのまま学童保育役員会に赴《おもむ》き、卒所する三年生への記念品を何にするかという議題で、会長相手に戦闘を繰り広げたりもした。何しろ会長ときたら、予算も時間も人手も限られているというのに、「やっぱり子どもたちにはいい思い出を残してあげたいですよねえ。ホラ、焼き物を作らせてもらえるところってあるじゃないですか。自分たちで作った湯呑みなんて、最高ですよね。きっと一生の思い出になりますよ」などと語り始めるのである。

もうそれに決めましょう、それ以上の案はないですよと、一人悦に入っている会長に、陽子は疑問や質問の形を取った弾を、マシンガンのような勢いでぶつけてやった。いったい誰がいつ、子どもたちを焼き物ができるところまで連れて行くんですか？　どうやって連れて行くんですか？　交通費はどうなるんですか？　焼き上がるまで期間はどれくらいかかるんですか？　予算はどのくらい？　明らかにオーバーしてませんか？　焼き上がった物は送ってもらえるんですか？　もしそうだとしても、かさばって重いものですから送料はかなりかかるんじゃないですか？　その際、割れちゃったらどうするんですか？　そもそも、素人《しろうと》がこねたものって、焼き上がりで既に割れちゃってる事ってよくありますよね？　割れなかったとして、ラッピングはどうするんですか？　その為の予算は？　当日風邪なんかで行けなかった子の記念品はどうなるんですか？

立て続けの質問に、会長はただの一つも答えられなかった。当然だ。いかにも、今思いつきましたといった案なのだから。

会議に臨む姿勢がなってなさ過ぎると、会社員である陽子は思う。通したい案件があるのなら、綿密な下調べは必須、ありとあらゆる質問を想定して、答えられるようにしておくことは常識である。

会長の意見は、たしかに実現したなら子どもたちは喜ぶだろう。しかし手間だの準備期間だの予算だのを考えた場合、あまりにも現実的ではない。相手を論破撃沈するのに、陽子はいささかの痛痒《つうよう》も感じなかった。結局、話し合いは無難な方へ無難な方へと流れ、要するに去年のやり方をそのまま踏襲することになった。記念品だって、もらう児童は別なのだから昨年度と同じ物でまったく問題はない。

とにかく、その日曜日には記念品の買い出しに行く予定が既に入っていた。自治会の会合くらい、夫に行ってもらったって罰《ばち》は当たるまいと陽子は思う。

そう思っていたのだが、陽子はその判断を後で心から悔やむことになる。これなら、記念品の買い出しを代わってもらった方が良かった、と。

その日、陽子より早く帰宅していた夫は、ただいまを告げる妻にごく何でもないような、暢気《のんき》この上ない口ぶりで言った。

「ああ、うちさー、今年度の自治会会長に決まったから、よろしく」

2

――そろそろカレーが食べたくなったから、今度作ってよ。

とか。

――シャツのボタンが取れちゃったから、悪いけどつけてくれない。

とか。そのくらいに、気軽な言い方だった。だから陽子の方も、「ああ、そうなんだー」とごく軽く答えそうになった。

けれど当然、「ちょっと待て」と頭の奥から突っ込みが入る。今、何かこの人、すごくさらっと言ったけど、とんでもないこと口にしなかった？

「……自治……会長？　くじ引きで、決まっちゃったってこと？」

「やー、クジじゃなくてさ、みんなが山田さんにぜひやって欲しいって言うから……だって他みんな女の人だぜ？　無理ですできませんなんて言えないじゃん、そんな女々《めめ》しいこと」

やられた、と思った。小学生の親をやることもうじき丸二年。学童保育の役員決めでも、見てきたじゃないか？　そうした場で、いかに女達がうまい具合に男を祭り上げてしまうかを。

もちろん、リーダーシップとボランティア精神にあふれ、自主的に重い責任を背負ってくれる男性だって多くいるだろう。だが、その場の雰囲気と、単なるええかっこしいの為だけに、後先考えずに引き受けてしまう男性もいる。この場合、夫は間違いなく後者だった。

しかもこの人、ドサクサに紛れて「よろしく」なんて言わなかった？　何、自分はいい格好だけしておいて、妻に丸投げする気満々？

冗談じゃない。陽子はメラメラと、憤怒の炎を燃やした。

「あー、それは大変ね。一年間、頑張ってね」

短い言葉で突き放すように言う。夫はきょとんと首を傾《かし》げた。

「あれ、一緒にやるんだよね」

「なんでよ。あなたが引き受けたんでしょ？　学童保育の役員を、何か手伝ってくれた？」

「手伝ったじゃん」不本意そうに夫は口を尖らせた。「一緒に親子遠足にも行ったし、餅つき大会のときにもちゃんと行って餅ついたじゃん？　君がナントカ会議に行ってる間は、陽介の面倒ちゃんと見てたし」

それは断じて手伝いなどではない。そう言おうとしたが、夫の言葉はまだ続いていた。

「他の自治会の会長付き合いなんかはおれがやるからさあ、だけど平日の十時から会合とか、おれ、出るの無理だし」

「私だって無理よ」

「あれ、だってよく午後出勤とかしてるじゃん？」

あっさり言われて、陽子は頭に血が上った。活火山なら盛大に噴火しているところだ。

「それは校了で徹夜明けとかの場合でしょ。ええ、寝ないでそのまま学童保育の行事だの学校行事だのに行ったことも何度もありますけどね」

「でもそれ、行きたくて行ってるくせに」

夫の言葉にムッとしたが、確かにそれは事実でもあった。働いている母親の中には、運動会は別として、学校行事に一切姿を見せない人も珍しくはない。どうしても無理、という職場だってあるだろう。単に授業参観ごときでいちいち有休を消化するのはもったいないと考えている場合もあるだろう。

確かに陽子は自分が行きたくて、かなり無理をしてでも学校に顔を出す。そこで元気に笑う息子の姿が見たいから。陽介が、陽子の姿をみとめてそれは嬉しそうに笑ってくれるから。

その笑顔は、落ち葉の間から美味しい木の実を見つけたみたいに陽子を幸せにしてくれる。逆に言えば、陽子がその木の実を独り占めしているせいで、夫はそれを味わうことができないという考え方もある。ただ、まだまだ世間では、子どもに関することは母親が出て行くことが当たり前という向きが優勢だ。夫も明らかにそう思っているらしく、現状に何ら疑問を持っていない。当然のこととして受け止め、妻にばかり押しつけて、なんてことももちろん考えていない。

先の比喩《ひゆ》に添うならば、甘い木の実にたどり着くためには、苦行のようにして山道を行かねばならないことがしばしばで、またそれが義務だったり強制だったりなんてことも普通で、木の実だってイガイガの棘《とげ》に覆《おお》われていたりするものだから、なかなか美味しいとこ取りなんてわけにはいかないのだ。世の中そんなに甘くないのである。

陽子だって決して甘い人間なんかじゃない。自治会の方には、その「美味しいところ」のかけらもない。だから夫に任せた。こう言い切ってしまうとひどいようだけれど、共稼ぎ夫婦の役割分担としてはごく妥当だと思う。むしろまだまだお釣りをもらってもいいくらいだ。

だが当の夫には、全面的に任されたという自覚がどうもないようだった。

「でさー、会員に配る資料だの、色んな案内だの、結構パソコンで資料を作んなきゃいけないんだよね。悪いけどさ、パパッと作ってくれない？　得意だろ、そういうの」

パパッと？　得意だろ？

ガラスにピキッとひびの入るような、心の中で嫌な音がした。

「……パソコン使えない人は今まで、どうしてたわけ？」

低い声で尋ねると、夫は正義の味方のごとく、憤然と言った。

「まったくだよな。それで今回も、そういう人に当たっちゃってさあ……あ、本当はそういう資料作成は総務の仕事なんだよ。でもさ、くじ引きで総務になった人がシングルマザーの若い女の人でさあ、携帯しか持ってないし、パソコンなんて使えないし買えないって、すごく困ってたんだよ。だから、さ」

「……それで会長ばかりか、総務の仕事まで引き受けてきたってわけね」

低いドスのきいた声が出てきた。瞬間、吐き捨てるように思う。

バッカじゃないの、この人は！

陽子の心の中のガラスは床に叩きつけられ、派手な音を立てて粉々に砕け散ったのだった。

3

その一ヵ月後、三月末の日曜日、陽子は自治会の定期総会に参加した。もはや夫に任せてはおけない。背負わされかけている余計なお荷物を、なんとしてでも本来の担《かつ》ぎ手に押し戻さなければならなかった。

家から徒歩五分くらいのところに、地域の集会所がある。存在は知っていても、一度も足を踏み入れたことはない場所だ。狭く古く、何となく汚らしい建物で、入る前から陽子は深いため息をついた。

靴を揃えて中に入ると、「誰？」という感じで皆の視線が集まった。

「三組の山田の妻です。代理で参りました」

すたすたと入室すると、年配の女性が「ではこちらに」と上座奥を示した。次期会長席ということらしい。

全体に年配の女性が多い中、ひときわ目立つ若い母子《おやこ》連れがいた。陽子の席の並びに座っているところを見ると、あれが夫の言っていた新総務だろう。全体に向けて一礼しつつ、陽子は指定された席に着く。

「……では全員揃ったようですので」ことさらに陽子に一瞥《いちべつ》を投げつつ、議長は言った。

「定期総会を始めさせていただきます」

陽子は別に遅刻はしていない。定刻ぴったりに席に着いたはずだ。

「その前に、よろしいでしょうか」

陽子は挙手して発言を求め、議長はじろりとこちらを見た。

「なんですか？」

「先月の、新旧役員顔合わせの際、うちが会長に決まったそうですが、夫から聞いた話だと、総務の仕事までうちがやることになったとか。これはどう考えてもおかしいですし、負担が重すぎです。ぜひ再考をお願いします」

議長の女性は、露骨に顔をしかめた。

「仕事の内訳については、今年度役員さんの間で話し合ってもらえますか……後で」

「ですが、今から新役員の信任が行われるわけですよね。後でじゃ、まずいんじゃないですか」そこで陽子は、同じ並びの面々に向き直った。「あ、小川さんって方は……」

そう言いながら、きっと厳しい視線を走らせる。

「でもでも、旦那さんが、やってくれるって。奥さんが編集者だから、ちゃちゃちゃっとやってくれるって」

泣かんばかりに悲愴《ひそう》な顔で応えたのは、やはりあの若い女性だった。

「その奥さんって私のことでしょ。その私が無理だって言ってるんです。フルタイムどころか、深夜二時三時まで会社にいることもザラですし、出張だってあります。正直、仕事と子ども関係のことでいっぱいいっぱいなんです。あなた、お仕事は？」

相手はきっと顔を上げた。

「してますよ、もちろん」

「フルタイム？」

「……パートですけど」

「週何回？」

「三回……でも、今不況で仕事なくて。子ども預けるのだって大変で」

「どう考えても、私よりあなたの方が時間に余裕がありそうですよね」

「でもでも、私、パソコン持ってないんですよ。無理です」

「でしたら、私が総務をやりますので、会長の方をお願いします。それが公平ってものでしょう？」

「そんな……私にできるわけないじゃないですか」

言うなり、相手は顔を覆ってわっと泣き出してしまった。

このくらいで泣かないでよ……。

げんなりしてあたりを見回すと、周囲の眼は完璧に小川さんに同情的であり、陽子に対しては非難がましい視線が向けられている。

瞬間、しまったと思った。

——またしても。ああ、またしても、やってしまった……。

生まれてこの方、陽子は自分の頭の良さについては、疑問を抱いたことはなかった。学校の勉強はできて当然だったし、試験と名のつくものに落ちたことはない。

しかし一人息子の陽介が、幼児から児童へと成長したあたりから、陽子の自信はなぜか揺らぎ始めていた。

——もしかして、私って……馬鹿？

類似の失敗を繰り返すような人間は、間違いなく馬鹿の一族である。常日頃、そう考えている陽子にとって、これは耐え難い屈辱だった。

またしても私は、この場をのっけから敵だらけの戦場にしてしまった。いきなり小川さんを攻撃したのは、はっきりと失敗だった。彼女はこの場で最年少で華奢で可愛らしく立場も弱い存在で。その彼女を泣かせた自分は、間違いなく悪者で。いたいけな少女がせっせと作った積み木のお城を、突如乱入してぶちこわした悪童なみの悪者で。

「女の喧嘩は先に泣いた者勝ち」みたいなのは、最も陽子の嫌悪するところだ。しかしそれは、現実にしばしば見られる光景でもある。小川さんが泣いた時点で、陽子の負けは確定だ。

じゃあ、自分はどうすれば良かったのか。

誰よりも先に、さめざめと泣いてみせれば良かったのだろうか。

「夫も私も仕事が忙しくて、会長と総務両方なんて、とても無理ですぅ、できません……」と。誰から何を言われても、しくしく泣きながら「でもでも、だってだって、無理ですぅ、できません……」と。

心の中で、陽子は呻《うめ》き声を上げた。

それこそ、無理。耐えられない。

第一、上背があって威圧感があり、その上「気の強い性格が顔に出てるよね」と友人から言われるような陽子がしくしく泣いたって、むしろ皆がひいてしまうだけじゃないかとも思う。

どうせね。かわいげなんてかけらもないし。私が泣いたところで、「鬼の目にも涙」なんて言われるのがせいぜいよね。

自虐的に思いつつ、さて、この場をいったいどう収めたものかと内心で頭を抱えていると、妙に冷静な声で発言した者がいた。

「現総務の岬《みさき》です」眼鏡の痩《や》せた女性だった。「役職の交代はもう無理ですよ。総会資料は完成して、全戸に配布済みですから。そのことはもう、前回の顔合わせの際に旦那様もご了承されているはずですが」

泣いていた小川さんがちらりとこちらを見やるのを、視界の端に捕らえつつ、陽子は食い下がった。

「ですけど」

「いい加減にしてもらえませんか?」現会長から、キツい声で言われた。「岬さんのおっしゃるように、もう交代はできません。仕事分担のことでしたら、後で新役員さんだけで話し合っていただけますか。私たちには関係ありませんから。時間の無駄です」

突き放すようにそう言われ、仕方なく引き下がることにした。これ以上言いつのれば、新旧会長同士の闘いになってしまう。

総会とは、新旧それぞれの担当者が、総会資料の担当部分をただひたすら読み上げるというだけのものだった。会計資料まで、細かい数字を延々と読み上げていく。普通の主婦がそんな読み上げに手慣れているはずもなく、桁をいちいち数えたり訂正したりで、むやみやたらと時間がかかる。

こんなの、「お手許の資料通りで相違ありません」でいいじゃないの。これこそ時間の無駄ってやつじゃないのと、陽子はイライラした。

当然陽子が読み上げる箇所もあり、早口にそれを済ませた。学芸会に参加させられているような、ひどくいたたまれない気持ちになった。

総会が二度目、ということもあるのだろうけれど、総じて旧役員の読み上げは、陽子と同じくらいに早口だった。議事進行も、何となくせかせかしていた。合間に「何かご質問は？」とごく儀礼的に聞くものの、その眼は明らかに「質問なんてしないでよね」と言っている。

要は、一年間背負わされてきたお荷物を、一刻も早く降ろしたいのだろう。これは延々と続くリレーで山ほどの仕事を受け渡す、バトンタッチの現場なのだから。渡された方はその重みにぎょっとしつつ、しぶしぶ走り始めることになる。何事も前年通りに。波風立てず。無難に、ただ無難に……。

茶番じみた読み上げはさっさと終わってしまい、後は各役員同士で仕事の引き継ぎとなった。

「今日は決まったとおりの仕事を受け取って下さい」ことさらに陽子に向かい、会長は言った。「後のことはそちらの問題なので」

何度も釘を刺さなくても結構よ。

そう思いつつ、陽子は軽くうなずく。本当は肩を大袈裟にすぼめるジェスチャーでもしたいところだが、そんなことをすればまた無用な角が立つ。

会長からは、段ボール一箱分の歴代資料を手渡され、うんざりした。いかにも、ダニだの紙魚《しみ》だののいそうでぞっとする。こんなもの、一年間もどこにおいておけばいいのやら。それから引き継ぎノートを手渡された。要は、前年と同じことを前年と同じ時期に行い、前年と同じように記録すれば良いらしい。ざっと説明を受け、「後はわからないことがあったら電話して下さい」と言われて引き継ぎは終わった。

了解、了解。ノートは夫に丸投げし、わからないことがあったら自分で電話してねと言ってやろう。

かなり投げやりにそう思い、総務の引き継ぎを見やると眼鏡の女性が困ったようにこちらを見ていた。

岬さんって言ったっけ。

小川さんが完全に仕事を受け取り拒否の姿勢で、途方に暮れているらしい。ため息が出た。

「あのねえ、あなた……」

陽子が硬い声で言いかけたとき、遮るように岬さんがよく通る声で言った。

「皆さん、すみません。ここをお借りできるのがお昼までですので、そろそろ片付けに入って下さい。引き継ぎ途中の方は、会長さんがおっしゃったように後は個人的にお願いします……それでよろしいですよね」

岬さんは会長に確認し、会長は満足げに笑ってうなずいた。旧役員は皆、すごく嬉しそうだ。

一人岬さんは生真面目な顔で、「お弁当を用意してありますので、お一人一つずつお持ち帰り下さいね。あ、ごめんなさい。予算の都合上、お子様の分はないので……」ここで岬さんはにっこりと小川さんの娘さんに笑いかけた。「ママのを分けてもらってね」

退屈そうにしていた女の子が、こくりとうなずく。

ちょっと待ってと言いかけた陽子を目で制し、岬さんは顔を近づけて耳元でささやいた。

「わかっています。後で時間もらえますか？」

バタバタと皆が片付けにかかるのを機に、会長は重々しく定期総会を閉じて言った。

「次年度の役員の皆さん、あとはよろしくお願いしますね。皆さん、どうもお疲れ様でした」

4

十分後、陽子は岬さんと近くの公園のベンチに、二人並んで腰を掛けていた。

「……確かお子さんがいらっしゃるんですよね」以前の顔合わせの際に、夫から聞いたのだろう。岬さんはまずそう聞いてきた。「お子さんのお昼は大丈夫ですか？」

「夫がチャーハンでも食べさせることになっています」陽子は軽く笑って答えた。たとえそのような手はずになっていなかったとしても、夫はお腹の空いた子どもをそのままにしておくような人ではない。「そちらこそ、大丈夫？」

「うちは子どもがいなくて、代わりに寝たきりの年寄りが二人いるんですけど大丈夫。今日は夫がいてくれるから」岬さんはにっこり笑って答えた。「もし良かったら、ここでお弁当食べちゃいません？　いいお天気だし、私午後から実家の様子を見に行かなきゃ。実両親も要介護なんですよ。姉と交代で面倒見てて」

明るく言われて、陽子は少し言葉に詰まった。

「……大変ですね。あ、ちょっと待ってて下さい。お茶買ってきます」

弁当をベンチに置き、近くの自動販売機で、緑茶を二本買って戻る。財布を取り出そうとする相手に、陽子は笑って手を振った。

「お忙しいところお時間頂いているんだから、お礼させて……ささやかですけど」

「……そんな」

岬さんは躊躇《ちゅうちょ》しているふうだ。

知り合ってまだほんのわずかだが、陽子は彼女を既に信用していた。

定期総会の間中、もの柔らかで余計なことは一切言わなかったけれど、あの場をコントロールしていたのは間違いなく彼女だった。暴走しそうな陽子をさりげなく抑え、あくまで会長は立て……そして、そう、お弁当を配るときのあの一言。役員の人数分しかないから、子どもの取り分はないのだということを、あらかじめ、上手な言い回しで伝えていた。

　あらゆる場面で、我が子には一人前の権利があるのだと思い込んでいる親は多い。子どもの権利は何物にも優先されるべきだと。あの場で小川さんが、悪気無しにごく当然のこととして、弁当を二個持っていく可能性はあった。そうすれば当然、一つ足りなくなり、揉める元になる。

　とても頭のいい人だと思った。人間をきちんと観察し、あらゆる事態を想定した上で、余計なトラブルを未然に防ぐ配慮のできる人だ。

　いちいち火種をついては、山火事を起こしてしまう陽子とはずいぶんな違いである。

　重ねてすすめると岬さんは礼を言ってペットボトルの蓋を開けた。そのまま二人で、弁当の巻き寿司をつまむ。

「総務の仕事のことなんですけれど」一つ食べ終えた岬さんが、切り出した。「顔合わせのときに、私が『パソコンができる方じゃないと無理です』と申し上げたら、どなたも手を挙げなかったんですよ……もうそのとき、ご主人は会長さんに決まってて」

「はあ……」ため息のような声が出てきた。「今どき、パソコンの保有率ってもっと高いんじゃないかしら？」

「持っているだけの人ならもっと多いんでしょうけど、ゲームとかオークション専用だったり、ホームページや掲示板を見るだけだったりで、文書を作成したり印刷したりとなると、かなりハードルが高いみたいです。私もパソコンは全然得意じゃないんですけど、去年も文書を作れる人が他に誰もいなくて、仕方なく……」

はあっと、今度はもっとはっきりとしたため息が漏れる。

「ですから」と岬さんは続ける。「みんなができないと言ってる以上、回覧文書だの総会資料だのは山田さんが作るしかないんですよ、結局」

陽子は思いきり顔をしかめた。

「それってずいぶん不公平よね」

「仕事はできる人の方により多く流れていくものですよ、水と一緒で」岬さんはちょっと皮肉な笑い方をした。「でも確かに、それじゃあんまり不公平ですし、実際問題として無理だと思います。山田さんはお仕事をされているんだし、お子さんもいらっしゃるし。それで考えたんですけど、会長の仕事を一部、小川さんに代わってもらうというのはどうでしょう。山田さんが苦手で、小川さんが得意な事ってあると思うんです」

「そりゃ、いっぱいあると思うわ。お料理とかお裁縫とかアイロンがけとか……主に家事方面でね」

半ば自棄《やけ》気味の陽子のセリフに、岬さんはあくまで生真面目に返した。

「そういうことじゃなくって。例えば、近いうちに新会長さんの最初のお仕事があるんですけど、それとか」

「なんです？」

「自治会連絡会議への出席です。地域の会長さんたちが集まるわけですけど……山田さんが行っても旦那さんが行っても、ちょっと困ったことになると思うんですよね。この辺の連絡会議は商店街の古参のお年寄り達が仕切ってて、最初の会合で色々お仕事を割り振ったりするわけですよ……お祭りとか、盆踊りとか、防災訓練とか、地域のパトロールとか夜回りとか、ほんと色々」

学童保育所でも似たような会議があったわと思いつつ、陽子は呆然として言った。

「仕事……この上？」

「ええ。旦那さんくらいの年齢の男性が行ったら、もう餌食《えじき》ですよ。元気な若い衆には色々やってもらうことがあるって」

ぞっとした。地域のお年寄りに「あれやれ」「これやれ」と言われて、夫が無下《むげ》に断れるとはとても思えない。

そして自分なら、無下に断れるしそうするだろう……そうせざるをえないから。しかし結果、思い切り角が立つのは目に見えている。事を荒立てれば、噂はあっという間に姑の元まで届くに違いない。

それは避けたい。できれば避けたい。

「小川さん、適任でしょ？」陽子が事態を理解したのを見て取って、岬さんは微笑んだ。

「彼女なら、あらかじめ『受けてきた仕事はあなたがするのよ』と言い含めておけば、なんとかして断ってくれるわ。もともと、会長全員分の仕事はないはずなのよ」

陽子は、先ほどさめざめと泣いていた小川さんの姿を思い浮かべた。確かに彼女なら、そんなたいそうな会議に引っ張り出されたらおびえたウサギみたいになりそうだ。そして何を言われても、こう返すだろう。

でもでも、だってだって、私無理です、できません……と。

あくまで可憐《かれん》で、か弱く、弱い立場で。

「飲み会なんかもお子さんが小さいから断りやすいはずだし、それでもあの子なら、にこにこ笑って挨拶しているだけで、お年寄りからは可愛がってもらえると思うの。お子さんごと、ね」

「——確かに」

陽子は大きくうなずく。陽子には逆立ちしたってできない芸当だ。

「それにね、会長さんのお仕事には、平日役所に行って手続きとか、市が主催する会議やセミナーに出席なんてのも結構あって……お勤めされている方には厳しいでしょ。他にもなんだかんだある雑用は、小川さんにやってもらっていいと思うの。総務の本来の仕事である、コピー取りだの総会資料の製本だのも、部数が多いからかなり大変よ。でも、もちろんそれも、小川さんでもできる仕事よね。そうやって、会長の仕事と総務の仕事を併せた上で再分配すれば、結果的には不公平ではなくなると思うの。むしろ、お二人どちらにとってもいいんじゃないかと」

陽子は思わず岬さんの手を取り、強く握りしめていた。

「ありがとう。あなたがいなかったら、どうなっていたか……」

確かに、それならなんとかなりそうだ。夫の言い種じゃないけれど、案内状の類なら本職だから、目をつむっていても作れてしまう。

岬さんは安心したように微笑んだ。

「小川さんは自分が責任を負うんじゃなければ、頼まれたことはきちんとこなすタイプだと思う。だから、山田さんがやってもらいたいことをじゃんじゃん指示しちゃえばいいのよ。メールで連絡取り合ってね、回覧文書なんかはメモつきでお互いの家にポスティングしちゃえば、時間を気にせず動けるし」

「岬さんって、小川さんのこと前から知ってたの？」

ふと疑問に思った。やけに彼女の性格に精通しているようなことを言う。

しかし岬さんはあっさり首を振った。

「先月の顔合わせで初めて会ったけど……私、結婚前にはわりと大きな会社の人事部にいたの。新人研修で毎年大勢の新入社員を見てきたし、けっこう、人を見る眼には自信があるのよ。山田さんはすごく仕事ができる人だし、責任感があるっていうのもよくわかる。だから会長さんは適任だと思うのよ」

「連絡会議への参加以外ではね」陽子は笑って言った。「岬さんがお勤めしてた会社を辞めてしまったのって、その社にとっては大損失だったたって気がするわ」

岬さんは面映《おもは》ゆそうな表情を浮かべた。

「社内結婚だったから。当時は女性が辞めるのが、一般的だったのよ。それでも、部署を異動してでも私は仕事を続けたかったんだけど……仕事が好きだったから。でも結婚してすぐ、夫の父親が倒れて……入院していたときはまだ良かったんだけど、退院してからが大変で。夫の母はすぐに腰を痛めちゃって、それから鬱《うつ》にもなっちゃって……夫婦は車の両輪って言うけど、本当よね。それで同居して、私が仕事を辞めて介護をすることになったたってわけ。三回流産して、子どもはもうとっくに諦めたわ」

陽子は「大変ね」と言えばいいのか、それとも「偉いのね」と言えばいいのか、そのどちらも違う気がして結局黙っていた。すると陽子を困らせたと思ったのか、岬さんは慌てたように言った。

「ごめんなさい。いきなりこんなプライベートな話をされても、びっくりするわよね。今、家族以外だとなかなか同年代の人と話す機会がなくって、つい……。とにかく、何か困ったことがあったら遠慮なく相談してね」

そう言って岬さんは立ち上がった。

二人とも、弁当は既に食べ終えていた。陽子も食べるのは速い方だが、岬さんの方がさらに速かった。忙しい人特有の、かき込むような昼食の取り方だ。

この人はきっとたくさんのものを犠牲にしている。ゆっくり味わう食事とか。親しい友人とのたわいのないおしゃべりとか。ちょっとした気晴らしの旅行とか。女性らしいファッションとか小物とか、それを選ぶための時間とか。

陽子は、ようやく言葉を見つけた。

「あなたは、すごく頑張っているのね」

岬さんは小さく笑い、「あなたもね」と言った。

5

職場で同僚と雑談したとき、自治会の会長になってしまったのだと言ったらものすごく驚かれてしまった。

「うちなんてさー」とその同世代の女性は言った。「もうひたすら逃げまくって、電話も無視して、どんなに後ろ指さされようとも、いない人として諦めてもらうまで逃げ切るつもりでいるけどなあ……だって、無理でしょ、現実問題として」

「うーん、そうなのよねえ」

陽子はうなるような声を出す。

「まあ、うちはマンションだからできることかもしれないけど。同じように逃げてる人、他にもいるからね。戸建てじゃそうもいかないでしょうし、大変よね」

「そうなのよね……近くにお姑さんも住んでいるから、なおさら」

「うわぁ、それは大変だわ」相手は露骨に顔をしかめた。「うちなんか子どもがいないから近所での評判が落ちまくってもまあいいけど、そっちはねえ……PTAとかもあるんでしょ。どうしてるの？」

「取り敢えず逃げてるけど、そろそろやらないとマズい感じ」

「自治会もPTAもさ、お金出すから免除して欲しいって思うわよね」

「思うけど……実際やったら、大問題になりそうよね。金持ち優遇とか、貧乏人差別とか」

「あー、ありそうね。じゃ、ここは男女平等ってことで、旦那さんに行ってもらうとか」

それで行ってもらった結果がとんだことに、と言いかけたものの、ようやく抑えた怒りが再燃しそうだったのでやめた。また相手から「うわぁ」と言われそうだ。

陽子は軽く首を振って笑った。

「あーダメダメ。あの人、自治会なんておばちゃん同士の茶飲み会としか思っていないんだから」

「それも地域によっちゃあ、お年寄りの茶話会なのよね。うちの母が言ってたわ。ここのは自治会じゃなくてジジイ会だって」

「ああそうね。こっちも、商店街の方の会はご隠居さんばっかりよ。そりゃもうお元気で張りきってて、電話で済む用事を朝の七時にピンポンしてわざわざ玄関先で伝えてくれるわ」

うわぁ、とまた相手は顔をしかめた。その表情は明らかに「やっぱり逃げ回ってて大正解」と言っている。

実際、自治会の仕事は勤め人には困難なことが多かった。会長だからといってすべて一存で事を決めるわけにはいかず、役員皆を集めてその意見を尋ねたり、情報交換をしたりという場が必要になってくる。役員の多くが、その日時に平日の昼間を望んでいた。休日に妻が用事で出掛けることを、嫌う夫が多いのである。

専業主婦ばかりではなく、陽子のような勤め人にとってだって、休日は貴重だ。家族団欒《だんらん》の日として、夫婦それぞれの実家との交流の日として、子どもを遊びに連れて行く日として、蓄積した疲れとストレスをリセットするための日として。下手をすると、仕事で潰《つぶ》れてしまうこともあるだけに、その貴重さは計り知れないものがあると陽子も思う。

実際のところ、平日の九時、十時の集まりに出ることは、陽子にとっては不可能ではない。出版社は一般的な会社とはだいぶ違っていて、午後になってから出社してくる社員も多いのだ。その代わり、その勤務は深夜にまで及ぶのだが。この業界、主に作家や漫画家には、圧倒的に夜型が多いのだ。夕方五時以降でなければ電話もできない相手に、通常の業務時間が通用するはずもない。もっとも、今はメール連絡が普通なので事情はかなり変わってきているが。

結婚し、子どもを育てるようになってからはさすがに陽子も生活を昼型にシフトするようにはなった。何しろ陽介を学校に送り出さなければならない。それから出社し、雑務を片付ける。その時間を自治会に取られても、誰も代わりに仕事をしてはくれない。結局、どこかに無理なしわ寄せがくる。それでなくとも多忙な陽子には、迷惑な話だった。

腹が立つのは、夫が陽子に自治会関係の仕事を丸投げした気になって、大いに安心していることだ。何かを手伝わせようにも、普通のサラリーマンに平日九時、十時の会合なんて出られるはずもなく、週末夜の連絡会議に出すのは危険過ぎるので小川さんに頼むしかないし、そもそも仕事には一連の流れというものがあるので、引き継ぎすら受けていない夫に理解させ代行させるのは、自分でやってしまう以上に労力がいったりする。ワークシェアリングの難しさを見た思いだった。

「ボランティアなんだし、適当にやってりゃいいんだよ。君、何でもかんでも全力投球しすぎ」なんて暢気に言われると、未だかつてないほどの怒りが、夫に対してふつふつと煮えたぎる。

要は完璧に他人事だと思っているのだ。よそだって奥さんがやっているんだから、うちも奥さんがやって当然と思っている。それが猛烈に腹立たしい。

家族が他人事なのは、何も陽子の家ばかりではない。必要に応じてよく役員仲間宅を直接訪れたり、電話連絡を入れたりしているが、どの家族も見事に「自分とは無関係」という立場を貫いている。当人が不在だった場合、旦那さんやいい歳をした娘さんにお姑さん、皆、伝言さえ快くは受けてくれない。ある家のお姑さんに至っては、電話があったことすら伝えてくれない。「あ、私、わかりませんから……」などとつぶやくばかりだ。ならば電話に出ないでよと、陽子は忌々《いまいま》しく思う。留守番電話の方が、よっぽど役に立つわよ、と。

パソコンや携帯メールなんて、今や当たり前だと思っていた。しかし少なくともある年齢以上の世代では、まったくそうではなかった。結局一番確実な通信手段は、書類にメモをつけてのポスティングである。歴代会長がゆずり受けている荷物の中に、昔懐かしい八インチのフロッピーディスクを見つけ、がっくりした。やたらとサイズの大きいペラペラのやつである。こんなもの、今はどうやったって開けやしないじゃないか。とても平成の世とは思えない。

自治会費の集金だってもちろん、領収書を持って一軒一軒手集金である。その際、組長経験のある主婦と、そうでない人との間にあまりに明確な差があるので笑ってしまった。何か理不尽な寄付でも求められたように、渋々財布の小銭を数える人。お釣りのないようにきちんと封筒に入れた会費を、「よろしくお願いします」の言葉と共に差し出してくれる人。

同じ立場に立ってみなければわからないことというのは、確かにあるのだ。自らを省みても、不在がちの山田家は、きっと集金の際に何度も無駄足を運ばせていただろう。それに対して、自分は一言でもねぎらいの言葉をかけただろうか……。そんなことを考えていると、何やらどんよりとうち沈んでしまう。

夫の言うように、誰がやってもいいボランティアなら、なぜこんなに心身に重くのしかかってくるのだろう？

「……定年後なら、自治会のお仕事だって快く引き受けるんだけどね」

同僚が真顔で言い、陽子は「ほんとにねー」と引き取った。

次に自治会の組長が回ってくるとき、夫も自分もまだ定年は迎えていないだろう。だけど知ったことか。この次こそは、さらにその次だって、何が何でも夫に丸投げしてやろうと、臥薪嘗胆《がしんしょうたん》の思いでかたく心に誓う陽子であった。

6

夏祭り、防災訓練、敬老祝い、秋の歩け歩け大会に秋祭りと、ほぼ一ヵ月に一度くらいのペースで自治会主催の催しはあった。

「昔に比べてずいぶん減ったよねえ……時代だね」

などと他自治会の古老みたいなお年寄りは言っていたが、陽子に言わせればまだまだ多すぎるくらいだった。自由参加のセミナーや講演会の類は山ほどお知らせが来たが、当然そのすべてを無視してやった。これらのお知らせは回覧板でも回されるわけだが、参加を希望するような酔狂な人は現れず、陽子は心からほっとした。希望者がいた場合役員としては知らん顔もできないらしく、共に参加となってしまうのだ。

夏休み終わりの防災訓練も、回覧板で出席を呼びかけたものの、結局陽子の自治会で参加したのは役員のみである。それはそうだろう。誰が炎天下にわざわざ小学校の校庭で、汗みずくになって訓練なんてしたいものか。熱中症で倒れでもしたら洒落《しゃれ》にならないだろうに、せめて他の季節にできないものかと思う。陽子とて今まで、一度も参加したことはない。

ただ、役員だけでは割り当ての参加人数に届かなかったので、皆それぞれの子どもを連れ出して頭数とした。当然、引っ張り出された子どもたちは迷惑顔である。休み明けには小学校や中学校でちゃんと防災訓練があるわけだし、宿題の追い込みで忙しいときでもあるわけだから、確かに気の毒ではある。

「こんな訓練、実際役に立つのかしら」

役員の一人が懐疑的につぶやき、他の一人が言った。

「親戚のとこで大きな地震があったんだけど、やっぱりイザって時にはまとめ役がいてくれるのがしみじみありがたかったって」

「そうよねえ、私たち、近所に住んでるのに、お互い顔も知らなかったしね。こうやって繋がりを作っておくのは、大事なのかもね……いつもはほんと、自治会なんていらないって思うけど」

皆でうなずき合っている。

何かあったときのために必要なのだって論調、他でも聞いたなと陽子は思った。

ああ、そうだ。学童保育所の父母連絡協議会でだった。

たぶん、ＰＴＡにだって同じような意味はあるのだろう。しかしどれもこれも、あまりにも負担が重すぎる。娯楽や親睦がまったく必要でないとは言わないし、望んでいる人も多いのだろうが、いざ自分たちの時間や労働力を無償提供する義務が伴うとなれば、「やらなくてもいいよ」と言い出す者がきっと大半なのだ。防災訓練に義務ではなく任意で参加している人が皆無なのは、そのいい証拠だろう。

人は——自分も含めて、勝手な生き物だとは思う。だが、多くの人にとってボランティアとは畢竟《ひっきょう》、心身に余裕があって初めてなし得る行為だろう。それがない人間に義務だけ押しつけたって、不満ばかりが募《つの》るのは仕方のないことだ。強制されるボランティアなど、本来の意味から外れること、甚だしいと言える。

そんなことを考えながら、陽子はしみじみと言った。

「とにかく、私たちの任期中には何事も起きて欲しくないわね。災害だけじゃなくて、できればご不幸も」

会員が亡くなった場合、役員の誰かが規定の香典を持って会葬するしきたりである。たとえ一面識もない人であろうと、だ。災害にしろ、ご不幸にしろ、こちらの都合などお構いなしの待ったなしだ。誰にとってもそうだろうけれど、常にぎちぎちのスケジュールで動いている陽子にはことのほか影響が大きく、辛いのだ。

陽子の言葉に、皆は深くうなずいた。とにかく自分たちの任期中にだけは、何事も問題が起こらず、無難に過ぎてくれれば……。

そんな不謹慎なことを考えていたせいか、九月に入って、ご不幸の報《しら》せがあった。

「夫の父親が、ね」淡々とした声で電話してきたのは、岬さんだった。「お盆過ぎだったから、葬儀はもう終わっているの。ただ、敬老祝いのことがあるから、一応お知らせしておこうと思って」

ご愁傷様でした、とお悔やみの言葉を返し、それ以上会話も続かないまま電話を終えた。

その後、相手の了解を得てから、岬さんの家へ自治会からの香典を持参した。喪服姿の陽子に相手は恐縮し、遠慮する陽子に上がっていくよう強くすすめてくれた。

「でも、お義母様と旦那様がいらっしゃるでしょ。せっかくのお休みの日に、悪いわ」

陽子がさらに辞退すると、岬さんは薄く笑った。

「二人とも、いないの。義母は検査入院で、夫は久しぶりに友達に会いに行くって……実家の方は、姉が行ってくれてるし。だから今日は、久しぶりのお休みなの」

「そんな貴重なお休みに……旦那様と、どこかへ出掛ければ良かったのに」

「それがねえ……」お茶を淹れてくれながら、岬さんは顔をしかめた。「ダメなの。今、険悪になっちゃってて」

「……あらまあ」

気のない返事にならぬよう気をつけながら、陽子はお線香を上げさせてもらった。正直、他人様《ひとさま》の夫婦仲になど、なんの興味もない。ゴシップに無関心なんて女じゃないと、人からはよく言われる。

だが、岬さんは向き直った陽子に少し顔を近づけて、さらに言った。

「あのね、義父が亡くなったときに、思わず言ってしまったの。『ああ、これでやっと一人減った』って」

陽子は声もなく相手を見やった。

岬さんはこのことを誰かに懺悔《ざんげ》したくて、陽子を家に上げたのかもしれないと思い当たる。

「自分でも、ひどいって思うわ。夫は実の親を亡くしたのに……ほんとにひどい妻よね。だけどそれが、掛け値無しの本音だったの。義理の関係だからじゃない。たとえ自分の親だって、きっと同じことを口走っていたわ。『ああ、やっと一人減った』って。面倒を見なきゃいけない四人が、三人になった。これが二人になって、一人になれば、きっともっと楽になるだろうなって。そう思ったの。人間じゃないわよね。鬼嫁だわ、私」

あくまで淡々と言う岬さんは、泣いているわけではなかった。乾いた瞳には、何の表情も浮かんでいない。

陽子は淹れてもらったお茶に口をつけてから言った。

「鬼嫁って言葉、先だって聞いたわ。上司のお母さんが要介護になって、同居することになったのね。上司は当然のように、奥さんに仕事を辞めて親の面倒を見ろって。施設に入れるのは可哀想だからって……何年か前のことよ。それが突然、母親を放りだして実家に帰ってしまった、俺に母親のおしめを替えろってのか、あいつは鬼嫁だって腹を立てていたわ」

「突然じゃないわ」

ふいに、わずかに声を強くして岬さんが言う。陽子はうなずいた。

「そう、きっと突然じゃない。上司の働き方は、同居を始める前と後でまるで変わってなかった。同列には語れないでしょうけど、私は子どもを持つ前と後とでは、仕事のやり方をずいぶん変えたわ。変えざるをえなかった。けど、男は変わらないわね」

「変わらないわ」岬さんは皮肉な笑みを浮かべた。「休みの日に、親の面倒を見ることを、私の仕事を代行してやってると思っているのがわかるの。その間、私は休むわけでも遊びに行くわけでもない。私の親の面倒を見に行っているのに。そして家に帰ると、聞こえよがしなため息をついて、疲れた疲れたを連発するのよ。俺はいつ休めばいいんだって」

「それはこちらのセリフよね。言ってやればいいのよ。それなら代わってあげるから、あなたが家事と介護を全部やってくれない？　って。私は再就職しますからって」

「……言ってみたいけど、現実的じゃないわ。今さら私を受け入れてくれる会社なんてないもの。パート収入じゃ、一家を支える事なんてできないしね」

そう言って、岬さんは小さく笑った。

「お忙しいところ、ごめんなさいね。誰かに話したかったの。聞いてくれて、ありがとう」

陽子も笑みを返して立ち上がる。

帰りしな、玄関の表札を見て陽子は思わず言った。

「岬さん、下のお名前、美咲《みさき》さんっていうのね」

自治会資料には世帯主の名しか記されないから、今初めて知った。

岬さんは恥ずかしそうにうなずく。

「ええ、おかしなフルネームよね」

「熱烈な恋愛結婚だったってことがよくわかるフルネームだわ」

否定はせずに笑ってから、岬さんはぽつりと言った。

「私ね、今夜夫に謝ろうと思うの」

「和解するんだ」

「ええ。とてもひどいことを言ったけど、夫は和解を受け入れざるを得ないわ。だって明日にはお義母さんが退院してくるから。それにね、夫は時々『ありがとう』って言ってくれるのよ……だから」

だから、謝れる？　頑張れる？　わかってもらえないもどかしさも辛さも切なさもすべて、呑み込んでしまえる？

上司に聞かせてやりたかった。夫婦は時に、敵同士となる。時に妻は鬼にもなる。だが……。

温かい愛情とほんの少しのねぎらいの言葉。それさえあれば、女は「家」を守り抜く、どんな勇猛な戦士にだってなれるのだ。

そんな思いを抱えつつ自宅に帰り、夫に岬さんの話をした。ふんふんと、いかにも他人事のように聞いているので、ついでに上司の話もしてみた。

「うちの上司もさ、ちゃんと奥さんをねぎらって、ことある毎《ごと》に感謝の意を伝えていれば、離婚騒動にまでならなかったかもしれないのにね」

そう締めくくると、夫はいかにも懐疑的に首を傾げた。

「いやー、でもさ、何でって思うよなー。だって男だって毎日外で一生懸命くたくたになるまで働いてさ、それに対して奥さんは毎日『ありがとう』なんて言ってないだろ？　いや、感謝してないとかじゃなくてさ、そういうのは、いちいち言わなくても伝わるものなんじゃないの？　家族なんだしさー」

夫の言葉に、陽子は深いため息をついた。

ことほど左様に、男と女は見事なまでにずれている。人から散々、男脳だの雄々しいだのと言われる陽子でさえ、そう思う。

このずれが無視できないほどに大きくなったとき、男女はいつしか敵同士となっているのだろう……たとえそれが家庭内のことで、夫と妻という関係であったとしても。

7

「——すみませーん。ヤキソバ二つ下さいな」

屋台の前で立ち止まり、陽子は息子の陽介と共にニヤニヤ笑いながら言った。

「……あいよ」

鉄板からもうもうと立ち上る湯気と熱気の向こうで、無愛想に返事を寄越したのは夫の信介だった。

商店街の名の入った法被《はっぴ》を着て、頭にねじりはちまきをして、全身から汗をダラダラ流している。十月とはいえ、今日はずいぶん暑かった。

「もうおれ、百人前くらい焼いてるんだけど」

怨めしげな夫に、陽子は冷えた麦茶のペットボトルを差し出した。

「お疲れ様。これ、差し入れね」

商店街の方の自治会から、秋祭りに人手を貸して欲しいとの要請があり、考えた末に陽子は夫を人身御供《ひとみごくう》に差し出すことにした。

『当然でしょ、あなたが会長なんだから……本当は』

何ひとつ会長の仕事をしてこなかった夫は、ぐうの音《ね》も出なかったらしい。結果、日曜午前十一時から夕方七時まで、ひたすらヤキソバを焼き続けることになった。熱い鉄板を前にして立ちっぱなしという、ちょっとした拷問《ごうもん》である。

例年の慣例として自治会費から寄付もしているし、人手も出しているしで、陽子と陽介は大手を振って秋祭りに出掛けて行った。中央の小さなステージでは婦人会の踊りがあったり獅子舞が出ていたり、屋台も多く出ていたりで、小規模ながら、なかなか楽しいお祭りになっていた。

「すげー、お父さん、ヤキソバ屋さんだ」

陽介が大いにはしゃぎ、手伝いの老婦人がコロコロと笑った。

「お父さん、やっと何とかうまく焼けるようになってきたとこよ。はい二人前」

透明容器に入れたヤキソバと箸を、袋に入れて渡してくれる。

差し入れた麦茶に「ビールの方がいい」と文句をつけていた夫だが、さすがに喉が渇くのだろう、すぐに開けてぐびぐび飲んでいる。

「ハイハイ、ビールは後で飲めますからね。ハイハイ、どんどん焼いて焼いて」

老婦人から急《せ》かされて、夫は世にも情けない顔で再び手を動かし始めた。

「あ、かき氷がある。お母さん、ぼく、かき氷食べたい」

　陽介がはしゃいだ声を上げた。

「よーし、ヤキソバ食べたら、次はかき氷だ」

　陽気に答え、スチール椅子と長机が並べられた一角に向かう。そこで夫の手によるヤキソバを食べていると、ふいに声をかけられた。

「山田さん、こんにちは」

　小さな女の子を連れて立っているのは、自治会総務の小川さんだった。

「ご主人、ヤキソバがんばってますね」

　笑いを含んだ声で言われ、同じく笑いながら答えた。

「これくらいはね、役に立ってもらわないと」

「私もね、準備やら何やら、お手伝いしたんですよ。自治会連絡会議のおじいちゃん達から、ぜひ来て欲しいって言われて。あちこちで色々頂いちゃって、すっかり今日の食費、浮いちゃいました。はい、お裾分け」

　陽介に姫リンゴのリンゴ飴を渡してくれる。陽介はぱっと顔を輝かせた。

「うわーい、お祭りって、楽しいね」

「ほんとにね。ありがとうございます、小川さん。ほら陽介も、ちゃんとお礼言う」

　ぐいっと陽介の頭を下げさせてやる。その途中で、小川さんの小さな娘と目が合ったらしい。子ども同士、互いに興味津々だ。女の子は得意そうな顔で水風船をパシャパシャと振り、それを見た陽介は実にわかりやすい表情で陽子を振り返る。

「はいはい、かき氷の次はヨーヨー釣りっと」

普段、子どもの言うなりに物を買ってやったりはしない陽子だが、こんな日くらいはいいだろうと思う。

お祭りは、陽子にだって楽しい。小さな子どもにとっては、なおさらだろう。特にこの秋祭りは地域の親睦を目的としているから、売り物も全体に安く清潔で安心だ。しかしその開催は、年と共にどんどん困難になっていると聞く。

まずは不況によるスポンサーの減少。これは致し方のないことだ。そして、人手を集めることが難しくなったこと。最近、陽子の地区の子供会が解散したそうだ。

『自分たちの都合で、入会しない人が増えたからねえ……』と、近所の人から嫌みたらしく言われた。

そもそも、働く母親には無理な要求であり活動だったのだと思う。ここ数年で、同じように解散する子供会は後を絶たず、学区内ではもう数えるほどしか残っていない。それはそのまま、お祭りなどの行事で若い働き手をまとめる場を失うことを意味する。

目の前ではしゃぐ子どもたちを見ていると、このお祭りが「必要のない」ものなんかじゃないことはよくわかる。こんな素朴で身近なお祭りが、支え手を失ったことによって、もしなくなってしまったとしたら……それはやっぱり申し訳のないことだと思う。

しかしだからと言って、「ならば私が支えていこう」なんて宣言できるほどの余裕は、とてもじゃないが陽子にはない。他の皆だって、同様だろう。

堂々巡りの考え事に耽《ふけ》っていると、思い出したように小川さんが言った。

「あ、そうだ、山田さん。私、お仕事決まりそうなんですよ。自治会連絡会議で知り合った方に、紹介していただいて。今まで、母子家庭だとすぐに休むだろうとか言われて、なかなか雇ってもらえなかったんですけど、やっぱりきちんとした紹介をいただけると、全然違いますね」

そう一気に報告した小川さんは、とても嬉しそうだった。

「わー、それは、おめでとうございます。良かった、自治会も少しは役に立つのね」

連絡会議のご隠居さんたちの中には、元はどこかの偉いさんだったり、幅広い人脈を持っていたりする人も少なくない。総じて人使いの荒いのが難だが、いたって人はいい、気さくな人たちだ。

当分は、あの元気なお年寄り達に頑張ってもらうしかないでしょ。

ヤキソバを食べながら、陽子は思う。その先どうなるか、何ができるのかなんて、今考えても答えが出るわけじゃなし。

食べ終えて、陽子は小川さんにささやいた。

「お二人の分も、かき氷買ってきちゃってもいい？　リンゴ飴のお礼と、就職祝い……

ものすごくささやかだけど」

くすくす笑いながらの小川さんの礼を受け、陽子はすっくと立ち上がった。

取り敢えず、祭りの赤字回避のため、少しだけ売り上げに貢献してみることにする。

そうなのよ、と陽子は思う。

いつだって、今すぐにできることなんて、笑っちゃうくらいにささやかなことでしかないのだ、きっと。

第5章 我が子だろうが敵になる

1

山田陽子に怖いものは何もない。

人からはたいがい、そんなふうに思われているらしい。

事実、子どもの頃の肝試しの類では、キャーキャー叫ぶ女の子達を馬鹿みたいだと思っていたし、遊園地のお化け屋敷や絶叫マシーンでも同様だった。経験はないがバンジージャンプやスカイダイビングだって、もしそれが仕事上で必要な場面になったならば、眉一つ動かさずに実行する自信がある。狭いところや暗闇に恐怖を感じるということもない。腕力や脚力にもそこそこ覚えがあるから、もし暴漢に襲われるようなことがあっても、隙《すき》を見て逃げ出せるように思う。どうしても逃げられなければ、反撃してやる覚悟だってある。その際、多少は過剰防衛になったってやむを得ないとさえ思う。

そんな怖いものなしの陽子だったが、実のところ、どうしようもなく苦手なものはあった。

それは少女時代の恐怖体験に起因している。

両親が仕事で不在中、陽子は一人、寝支度をしていた。さあ寝ようと電灯の紐を引きかけたとき、天井から無数の子蜘蛛《こぐも》が降ってきたのだ。電灯の笠に卵が産み付けられ、陽子の頭上でいっせいに孵化《ふか》したのである。

体中を蜘蛛が這い回り、細い糸に絡みつかれるその恐怖は、今でも思い出すと鳥肌が立つほどだ。以来、四本より多くの脚を持つ生き物は、すっかり苦手になってしまった。

だが、都市部にある高気密住宅に暮らしていれば、昆虫の類はさほど陽子を悩ませることはない。ゴキブリだって対策を万全にしてさえいれば、その姿を見ることは、ほぼないと言っていい。

だから陽子はすっかり安心していたし、虫が苦手だということさえ忘れそうになっていた。

——一人息子がわざわざそれを、家の中に持ち込んでくるようになるまでは。

洗濯しようと子どものズボンのポッケを裏返すと、バラバラになったバッタの死骸が出てきたり。夫と買い物に出せば、満面に笑みを浮かべて透明ケースに入ったカブトムシの幼虫を連れて帰ったり。思い起こせば、ベビーカーに乗っていた頃から、虫にはやたらと興味を示していた。帰宅してさあ手を洗わせようとしたら、どこの植え込みからつかみ取ったのか、青虫を両手に一匹ずつ握りしめていたこともあった。

そのたび、叫びそうになるのをこらえながら始末をしたり、カブトムシに至っては泣きたいような気持ちで世話さえしたり。

子どもというものはときに、天使の顔をして悪魔の如き所行をしてくれる。母親に、とんでもない試練を課してくるのである。

そしてつい先日のこと。

「おかあさん、はい」と無邪気にプレゼントされたジャムの小瓶の中には、ダンゴムシが口までいっぱいに詰め込まれていた。そして、そのすべてがうじゃうじゃうごうごと、世にもおぞましい有り様で、うごめいているのであった。


そんな〈事件〉があった数日後。

陽子は息子に向き直り、少し改まった口調で尋ねてみた。

「君も四月から四年生になるよね。学童保育は卒所しなきゃいけないわけだけど、放課後の時間が余っちゃうでしょ。いっそ、習い事を始めてみない？　スイミングとか英語とか、少し早いけど塾って手も……」

そう切り出した内容は、夫とは打ち合わせ済みのものだ。

学童保育で預かってもらえなくなるのは、働く親にとってはかなり厳しい問題である。九歳の子どもが十歳になったからと言って、放課後や長期休暇を果たして一人きりで過ごせるか……もちろん、できる子どももいるだろう。否応なく、そうせざるを得ない子も、多くいるだろう。

だが、アメリカでは十三歳未満の子どもに留守番させることが禁じられているように、何か事が起きたとき対処できる年齢だとは、とても思えない。陽介はどちらかと言えば気弱で臆病なたちだが、それでも時に驚くような無茶もする。それに一人っ子のせいか、寂しがりやで甘えん坊だ。長時間一人にしておくのは陽子が忍びない。

『おふくろに頼めばいいよ』

夫は例によって能天気にそう言った。世の男というものは、母親をドラえもんか何かだと思っているんだろうか。『たすけてー』と泣きつけば、魔法みたいに便利な道具がエプロンのポケットから出てくるとでも？

嫁たる陽子としては、義母におんぶに抱っこはできれば避けたかった。現実問題として、彼女に御世話になるほかないのだが、それでもできるだけ、義母の負担を減らしておきたかった。

もちろん、まず申し訳ないからという思いがある。いくら可愛い孫とは言え、来る日も来る日も、体調や用事の有無にかかわらず面倒を見るのはやはり負担が重すぎるから。二義的な問題としては、義母がこう言い出すのが目に見えているから、というのがある。

『陽ちゃんが可哀想よ……やっぱり、そろそろお仕事を辞めた方がいいんじゃないかしら』

いくら陽子が「ずっと辞める気はありません」と繰り返したところで、折に触れて「……でもやっぱり」となるのだ。

放課後や長期休暇を一人きりで留守番させるのは可哀想、祖母と二人でもやっぱり可哀想。ならばどうすれば可哀想でなくなるのか。母親が仕事を辞める以外の選択肢としては、何か習い事をさせるより他にない。勉強でもスポーツでもその他のものでも、充実した時間を過ごしているならば、義母も納得するだろうし陽子だって安心だ。なにより、息子自身のためになる。

一石何鳥にもなるわと、効率重視の陽子はほくほくし、まずは本人の希望を聞いてみようということになった。

すると陽介は、目を輝かせて言ったのだ。

「ぼく、サッカー少年団に入りたい」と。

――それは、陽子の新たな闘いの幕開けであった。

2

サッカーと聞いて、むしろ乗り気になったのは夫だった。

「男の子が小さいうちからスポーツをやるのはいいことだ。体力がつくし、友達も増える。陽介は男の子にしちゃおとなしすぎるくらいだからな、いろんな意味でプラスになるよ、きっと」

そう言う夫自身は小学生の頃、習い事はそろばんと習字だけ、の口だ。

「そう言えば植村《うえむら》んとこの上の坊やがサッカー少年団に入ってたって言ってたな。今はもう中学だけど……取り敢えず、話聞いてみるか」

昔なじみの名前を出し、電話台の引き出しを掻き回し始めた。住所録を引っ張り出すと、いきなり目当ての番号にかけ始めている。こんなときだけ、やけにフットワークが軽い。

体力云々言うならスイミングの方がと、陽子はまだ考えていた。陽介はカナヅチではないものの、二十五メートル泳ぎ切るにはまだ遠い。今、学校の水泳授業は水温規定がむやみやたらと厳しく、また光化学スモッグの影響や土曜日が休みになったことなどもあり、実施できる日数が昔と比べて明らかに、それも大幅に減っている。また、指導自体も昔と比べてずいぶんぬるい。結果、学校の水泳指導だけで泳げるようになる子は、ゼロではないにしても極めてまれというのが現状だ。きちんと泳げるようになるためにはスイミングスクールに通うことが不可欠というのが、目下大方の意見なのである。

だが、当人がやりたがっているのは水泳ではなくサッカーなのだ。しかももうすっかりその気になっている。

「四年生にね、コウちゃんっていって、すっごくサッカーうまい子がいるんだよ」

はしゃいだ声でそんなことを言っている。

タイミング良く、次の日曜に試合が行われるということで、取り敢えず一家で見学させてもらうことになった。場所は家から自転車で行ける市民競技場である。

——たかが小学生の玉蹴り遊びでしょ……正直なところ、陽子はそう見くびっていた。

甘かった。

両チームとも、揃いの格好いいユニフォームを着ている。選手はともかくとして、明らかに補欠の子まで全員がだ。こちらのチームは総勢三十名くらいだろうか。試合に出られない子の方がずっと多いわけだ。

そしてまた、ギャラリーの数が異様に多い。ほとんどは母親だが、父親の姿もちらほら見える。スタメン選手の親だけでは到底数が合わないほどの人数である。試合に出る可能性が全くない子の親は、いったい何を見に来ているのだろうかと不思議に思う。チームを応援する我が子の応援？　まさか。

情況は相手チームも同じことで、結局総勢七、八十名の大人、そして弟や妹と思《おぼ》しき子ども十数人の大所帯が駆けつけていることになる。たかだか練習試合に、だ。

そしてまた理解に苦しむことに、ギャラリーの中には小学校高学年と思しき女子の集団がいた。ひとかたまりになり、やたらとキャピキャピ騒がしい。あれも選手の姉妹なのだろうか。

審判の笛が鳴り、スターティングメンバーより多いような気がするが。選手達が走り始めると、陽子がたじろぐほどの声援がそこかしこで起きた。

「マークマーク。相手フォワード、フリーにしてどうすんの！」

「一人でボール持ちすぎない！ ホラ、パスして」

「バッカ、簡単に取られてんじゃないぞー。しっかりー」

まるで監督かコーチのようだが、すべて発言者は親である。

エキサイトしてくるにつれ、「バカじゃないの、もっと頭使いなさいよ、ほんとにバカなんだから」だの「もう、相手キーパーせっかくヘボなんだから、枠にいかなきゃダメじゃないの」だの、ちょっとそれってどうよと言いたくなるような発言が混じってくる。

監督の声掛けは、もはや罵声そのものだった。興奮して選手を名指しの上で「バカヤロー」だの「タラタラ走ってんじゃねーよ、クソが」だの叫んでいる。さらには「ダメだダメだ、そんなんじゃすぐレギュラー落ちだぞ」などと脅すようなことも言っている。

もうひとつ、親や監督とはまったく別種の声が飛んでいた。まさに「黄色い」としか表現しようのない声援を送る一団がいるのだ。

「キャー、コウ、頑張ってー」

まるでアイドル歌手に向けるような声を送っているのは、例の女の子達の一団だった。総勢十数名はいるだろう。

「何、あれ?」

驚いて傍らの息子に尋ねると、陽介はにっこり笑って言った。

「コウちゃんのファンクラブ。コウちゃんってすっごく人気あるんだよ。コウちゃん、すっごくサッカーうまいから」

確かに、陽介が指差す先にいる選手が何かするたびに、甲高い声援が飛ぶ。サッカーはあまり詳しくない陽子でも、彼がずば抜けてうまいことは見て取れた。そして、彼がやけに整った容姿をしていることも。眉目がきりっとしていて鼻筋が通り、長めのヘアスタイルが嫌味無く似合っている。女の子達に人気がある理由は、少なくともサッカーがうまいからだけではないはずだ。

「コウちゃんがね、ぼくに『サッカーやんなよ』って言ってくれたんだ」と説明する陽介は、まるで初恋を打ち明ける少女のようだ。「学童保育でも、すっごくカッコ良くて優しくて、みんなから好かれてたんだよ。卒所してからも、校庭で見かけたりすると、たまに声をかけてくれるんだ」

憧れの先輩ってわけね。

陽子は内心で納得し、うなずいた。道理で突然、サッカーがやりたいなんて言い出したはずだ。

「今の子はませてんなあ」夫がぼやくような口調で言った。「昔の女子なんて、あんなふうに集団で男子にキャーキャー言ったりなんて、絶対しなかったぞ」

「いやあ、どうかしら」やや意地悪い気持ちで、陽子は返した。「あんなカッコイイ子がもしいたら、昔の女子だって騒いだんじゃないの?」

夫の信介はむうっとした顔をしたが、陽介は我が意を得たりとばかりにうなずいた。

「コウちゃんは特別だから」

嬉しげな子どもの笑顔につられつつ、陽子は腕を組んで内心困惑していた。

聞けば、サッカーの練習なり試合なりは、学校が休みの土日に限られるそうである。監督を引き受けてくれる人が、休日のボランティアでやっているのだから当たり前だ。時間帯は午前か午後の半日、グラウンドや監督の都合によってその都度決まる。これもまた、当然のことだろう。

しかしこれでは、当初の目論見が外れること甚だしいと言うものじゃないか? 陽子が求めていたのは平日放課後の習い事だったのに。

だが、陽介はもうすっかりその気になっている。小さな両の拳《こぶし》をギュッと握りしめ、眼を輝かせて試合の成り行きを見守っているのだ。

今さらダメなんて言えないし、そのつもりもない。ただ、陽子には大きな懸念材料があった。

聞くところによると、少年団の月会費はわずか千円プラス保険代のみである。ユニフォーム代等は別途かかるとは言え、グラウンドを借りたりボールを買い足したりする実費のみの金額だろう。そして監督はボランティア。すると当然、保護者にもチーム運営の負担は相当のしかかってくるのではあるまいか？

陽子はそっと陽介に耳打ちした。

「あのさ、コウちゃんのお母さんって、どこにいる？」

学童保育に在籍していたのなら、顔を合わせたこともあるはずだ。同じ働く母親同士、どうしているのかあらかじめ聞いておきたかった。

しかし陽介はきょとんとして首を振った。

「いないよ。コウちゃんのお母さん、美容師さんだから。試合の時だって一度も観に来たことないって、コウちゃん言ってた」

「……ああ、そうなんだ」

ひと筋の光が見えてきた。

なるほど、美容師なら土日に仕事を休むわけにはいかないだろう。デパートや商店に勤めている親だってそうだ。そういう親を持つ子だって、お金をかけずにサッカーだの野球だのはしたいわよね、当然。

なーんだ、気にしすぎだったわ。

陽子は一人笑った。ＰＴＡだの学童保育所だの自治会だの、あらゆる組織に付きまとう役員義務のせいで、妙に疑い深くなっていたんだわ、と。そうよね、男の子としてはおとなしすぎるくらいの陽介だもの、自分から団体スポーツをしたいって言い出すなんて、これはすごくいいことなのよ。きっと滅多にない機会なのよ。転機なのよ。あらどうしましょう、将来Jリーガーになりたいなんて言い出したら。親としては、サッカーの強い私立中学を探して、通わせてやるべきかしら……。もしワールドカップの日本代表になんて選ばれたら、世界中どこの開催だろうと、飛んで行ってやるわ……。

フルパワーの親馬鹿と、場の熱狂も手伝って、陽子の思考は一気にそこまで飛躍していた。

――能天気だった。

あまりにも、能天気だった……後で我が身を省みて、つくづくそう思う羽目になるとは、その時の陽子にはもちろん、知るよしもないのであった。

3

三月の終わりに学童保育の卒所お別れ会があり、その翌日、スポーツ少年団（略してスポ少と呼ばれている）の集まりがあった。小学校四年生以上を対象としたチームで、陽介以外にも新入団員はけっこういる。その多くが同じ四年生だったけれど、低学年チームからの持ち上がりがほとんどだった。保護者同士も顔見知りが大半らしく、「こっちでもまたよろしくねー」などとにこやかに挨拶しあっている。

子どもたちにしても、やはり活発な子が多いのか、もじもじと親にひっついているのは我が子一人だった。

「……コウちゃんがいない」

心細そうにつぶやいている。確かに、今日は休みらしくその姿はなかった。

「コウちゃんはお休みでも、知り合いは他にいっぱいいるでしょ」

軽く背中を叩いてやりながら思う。

確かに、この子の人見知りするところや、なかなか友達の輪に入っていけないところなんかを良い方向に変えるには、団体スポーツっていうのはすごくいいかもしれないわ。

ピーッと笛の音が鳴り響き、監督が子どもたちを呼び集めた。それとは別に、母親の一団が、ばらけていた保護者に集まるよう声をかけた。

「父母会、始めちゃいまーす」

そんなことも言っている。ちらっと嫌な予感がしたが、まあ大丈夫だろうと思い直す。今日は夫は来ていなかったが、それも却って良かったかも知れない。小学生の親をやること丸三年。さすがにこんな場面にも、慣れ始めていた。

「それじゃあ、自己紹介から始めましょうか」

グラウンドの片隅に輪になり、皆が腰を下ろすとさっそく父母会が始まった。陽子は白の綿パンを穿《は》いていたので、やや躊躇したものの、仕方がない。ハンカチを敷いてその上に座る。他を見わたすと、ほとんどが有名スポーツメーカーのジャージ姿か、でなきゃせいぜいジーンズだ。カジュアルに決めたつもりだったが、やはりまた外したらしい。

グラウンド中央に眼をやると、そこでも同じような車座ができていた。同じく自己紹介が始まったらしく、子どもが一人一人立ち上がり、どなるような大声で学年と名前を言っている。陽介にあんな大きな声が出せるかと、はらはらした。

あちらが気になっているうちに、軽く腕をつつかれた。

「次、あなたの番よ」

慌てて立ち上がる。途端、皆がぎょっとしたように身じろぎをした。立たなくて良かったのだと気づいたが、今さら遅い。いつもならこれほど間抜けではないのだが、陽介のこととなると、ついつい注意力散漫になってしまう。

仕方なく、仁王立ちのままで自己紹介を始めた。

「このたび入団させていただきました、山田陽介の母です。土日に仕事が入ることも多く、なかなかお目にかかれないかと思いますが、どうぞよろしくお願いいたします」

ひと息に言って、元どおりに腰を下ろす。だが車座の中には、微妙な空気が流れていた。

何かまずかった？　そう思った時、遠くの輪のところで息子が立ち上がるのが見えた。またそちらの方へ意識が飛ぶ。何か言っているようだけれど、案の定、ここまでは聞こえない。監督が何かキツい口調で叫んでいる。たぶん「声が小さい」とでも注意したのだろう。陽介が萎縮してなきゃいいのだがと、ハラハラする。

陽子が上の空でいるうちに、保護者側の自己紹介は一通り終わった。進行係をしていた母親の不吉な一言で、陽子は慌てて意識をこちらの車座に引き戻す。

「それじゃこのまま、父母会役員決め始めちゃいますね」

反射的に陽子は、ぐっと体を縮めた。とはいえ、同年配女性の中ではかなりの高身長の陽子である。どれほど存在感を消せたものか、いささか心許ない。

「団長一名、副団長二名、あと会計」一同を見わたした進行係は、なぜか陽子のところでピタリと視線を止める。「一、二年生から入ってたお子さんも多いから、もうほとんどが役員経験者なんですよね……会計については前任者が留任でやって下さるそうなので、できれば団長副団長は、新しく入られた方から募りたいところなんですが」

とっさに「マズい」と思う。どうも話を聞いていると、下部団体からの持ち上がりが多勢で、今回新規で加入した児童はあまり多くはないようだ。そうなると確率的な問題で、相当、マズい。

案じていた通り、立候補は誰も出なかった。こうした場で率先して手を挙げるような、やる気に満ちたお母さんは、そもそも下級生の頃から子どもをスポ少に入れるのだろう。幾度も経験のある、気詰まりな時間が経過したあと、くじ引きということになった。進行役が、何かのチラシの裏にさっさと線を六本引いている。新入団員は六名ということらしい。そうなると役員は三人だから、確率は二分の一。

作成中のあみだくじを凝視する陽子の視線に気づき、進行役はくるりと背を向けてあといくつかの線を書き足した。そして下部分を折りたたんだ紙を持って向き直り、「ジャンケンで勝った順に選んでね」と笑顔で言う。

陽子は未だかつて、事態の流れゆくままに身を任せたことなど一度もない。脳細胞をフル回転させ、さきほど瞬間的に記憶したくじの全体像と、その上に書き加えられた線を把握し、安全と思われる場所を導き出した。それから、殺気にも似た気合いを形相ににじませ、ジャンケンの勝ち抜きに挑んだ。獅子は鼠《ねずみ》を狩るにも全力を出すと言うが、陽子にとっては大問題なのである。

結果陽子は、あみだくじだのジャンケンだのに「気迫勝ち」という結末があることを皆に知らしめた。団長くじを引いてしまった母親は、傍目《はため》にもわかるほど悄然《しょうぜん》としている。陽子は敗者になど、何の興味も同情もなかった。

陽子は、これでもう何の心配もいらないと思っていた。少なくとも一年間は、と。

甘かった。とことん、甘かった。


最初の数ヵ月は何事もなかった――陽子の主観に於いては。

その春、陽子は自身の人事異動により、仕事の引き継ぎや挨拶回りに忙殺されていた。もちろんそれは土日にも容赦なく食い込み、正直息子の習い事どころではなくなった。練習の送り迎えは夫がしてくれていた。送り迎えだけは。

学童保育所の無くなった放課後を、陽介はそれなりに楽しそうに過ごしているように見えた。最初のうちこそ義母の家で世話になりっぱなしだったが、やがて同じクラスの友達と約束し、互いの家を訪問し合ったり、駄菓子屋を冷やかしたりする楽しみも覚えたらしい。GPS機能つきのキッズ携帯を買い与え、連絡だけは常にしっかり取れるようにもしていた。

肝心のサッカーに関しては、ときおり「カントクこわい……」と漏らすことはあったが、一生懸命頑張ってはいるようだった。一度、練習試合があった。もちろん新入りは試合になど出られないのだが、全員で応援に行くとのことで、遠方のグラウンドまで夫に車で送ってもらった。

「コウちゃんって子はほんとにうまいなあ。今日はハットトリックを決めたよ」

などと夫は言っていて、陽介も「そうでしょ、すごいでしょ」と、相変わらず我がことのように胸を張っていた。

陽介の様子が少しおかしいなと思ったのは、六月に入ってからのことだった。明らかに、口数が減った。元々おしゃべりな方ではなかったが、それでも以前なら陽子と顔を合わせれば、その日あった出来事などを一生懸命語ってくれた。気がつくと、それがずいぶん減っている。

夫に「どう思う？」と尋ねてみたら、「男の子なんてそんなもんだよ」と一笑に付された。確かに、そんなものかもしれない。早いもので、陽介も今年で十歳だ。八つ、九つときて十となることを「つ離れ」などと言う。

「実際、『ママー』なんて可愛いのも、九つくらいまでよ。もう時間の問題なんだから」なんて、母方の伯母からは脅すように言われた。その時には「そんなことないですよ」と返したけれども、やはり子育ての先達の言葉は、正しいのかもしれない。

若干の寂しさと共に、そう思っていた。

夏が近づくと共に、眼が回りそうだった忙しさも、ようやく一段落した。すると、まるで待っていたかのように一つの連絡が入った。

スポ少父母会からである。重大な決定事項があるので、次の練習日は必ず来てくれとのことだった。

「……なんだろうね？　わかる？」

陽介にそう尋ねたが、息子は黙って首を振るばかりだった。

当日、陽介と共にグラウンドに顔を出すと、数人の母親が目配せしあいながら近づいてきた。

一人が、挨拶もそこそこに言う。

「良かった、来てくれたのね。あのね、堀内《ほりうち》さんが辞めちゃったのよ」

「堀内さん？」首を傾げてから、気づいた。「ああ、団長さんね」

「お子さんが、練習、やになっちゃったみたいで」

なぜかそこでクスリと笑う。何となく、嫌な感じだった。

「それでね、仕方ないからまた新しく団長を選ばなきゃならなくて。ま、後任の人はラッキーよね、普通より二ヵ月少なくて済むんだから。それでね、クジの引き直しになるわけだけど、来た順に引いてもらおうと思って。さ、どうぞ」

有無を言わせない体《てい》で、陽子の鼻先に茶封筒を突き出す。口のところから、こよりの端が三本覗いていた。

今度の確率は三分の一。陽子に透視能力はない。

大丈夫、と陽子は心に念じた。大丈夫、二分の一の確率だって、気合いで乗り越えたんだから。

自らにそう言い聞かせつつ、指先に念を込めてこよりの一本をぐっと引いた。その瞬間、陽子は下唇を嚙み締めることとなる。

するりと出てきたその先端は、「大当たり」とばかりに赤く塗られているのであった。

4

それからが、大変だった。

父母会がこなさなくてはならない仕事は、やたらめっぽう多かった。

まず最重要なのが、練習や試合のためのグラウンドの確保である。市内だけでも小学生のサッカーチームは山ほどあり、同じくらい野球チームもある。ハンドボールやドッジボールのチームもある。各チームが譲り合い、調整し合う必要があるのだが、頼りの小学校のグラウンドは、校庭開放だの各種催しだので使用できないことがわりと多い。

そこで一年を通し土日の練習場所を確保するためには、近隣の小、中学校から運動公園から市民運動場まで、各責任者と連絡を取り合って早め早めに押さえていく必要がある。無論、使用料が発生する場合も多く、鍵の管理などもしなければならない。また、監督の都合で突如時間変更なんてこともある。責任重大な上、死ぬほど面倒な仕事である。

また、試合の申し込みを行うのも団長の仕事だ。積極的に練習試合をしていかないと強くなれないものらしい。それは監督と保護者の総意であり、年間試合数を三十はこなさなければならないらしい。ほぼ週一ペースである。だが、これだけ数が多いとその相手を見つけるのも至難の業だ。あまりレベルの低すぎるところは嫌だと皆が言う。といって強すぎるところは、相手をしてくれない。ちょうどいいお相手は、車で一時間もかかるようなところまで遠征しないと見つからないなんてこともザラだ。何とその送迎には、保護者の車を使うのだ。この配車がまた、大仕事である。現地集合、現地解散といきたいところだが、大体、学校や運動場は駅からうんと離れたところにある。慣れない土地で時間の読めないバスを使うのは、あまり現実的ではなかった。運ばなければならない荷物も多い。ついでに監督だって送迎しなければならない。大型車がなければお話にならないのだ。

監督は完全なボランティアで、週末をつぶして指導に当たってくれている。あまりにも申し訳ないやらありがたいやらで、必然的に父母会は監督に大変気を使う。練習中や試合中、怒鳴り通しで喉が渇くだろうとスポーツドリンクを差し入れ、少し時間をおいてコーヒーも差し入れ、冷たいおしぼりを手渡し、最後にお弁当も差し入れる。これは父母会持ち回り当番制の手作り弁当である。

陽子はそんな習慣が存在することさえ知らず、初めてその監督用弁当を見たときには呆気にとられた。運動会のお弁当ばりに、豪華である。

皆いったい、何時に起きて作ってるんだろう？　コンビニで一番高い弁当を買って差し入れちゃ、ダメかしら？

恐れおののきつつ、そう思う。

何となく、ダメな雰囲気だった。

さらに、試合となるとどうしても審判が必要なのだが、この手配がまた、悩みの種だった。子どもにスポーツをさせることに熱心なお父さんの中には、審判資格まで取得してしまう人がいる。ただ、残念ながら現在の保護者の中にはその資格保持者はいない。それでつてを頼り、当日わざわざ来てもらうようにしなくてはならない。もちろんこちらも完全なボランティアだから、気を使うことこの上ない。せめてもの気持ちというわけで、やはり監督同様、お弁当だの飲み物だのを差し入れる、ということになる。

甲斐甲斐しく尽くすのは監督や審判に対してだけではない。

母親達はこぞって、さながら王子様にかしずく侍女の如く、子どもたちの世話を焼くのだ。試合であろうと練習であろうと、やれ熱中症予防のためと言っては水分補給をさせ、汗をかいたと言ってはタオルを差し出し、レモンのハチミツ漬けを食べさせ……果ては「日差しがキツいから」とハーフタイム中、自分の日傘を休憩中の子どもの頭上に差しかけている親までいる。こんなに至れり尽くせりで、本当に強いスポーツ選手が育つのかと疑問に思うような甘やかしっぷりだ。

しかも仰天したことに、これらはすべて正式な係の仕事として、配車係などと共に父母会で割り振られている（日傘はまあ別として）。

「そんなの、全然知らなかったわ」と陽子が愕然《がくぜん》としてつぶやくと、副団長の鳥飼《とりがい》さんに嫌味っぽい口調で言われた。

「山田さんがちっとも来ないから、団長さんも仕事を頼みにくかったんじゃない？」

彼女によると、前団長は気が弱くて仕事の割り振りができず、山のような雑務を一人で抱え込んでいた。そしてとうとう抱えきれなくなって、放りだしてしまったということらしい。

それから鳥飼さんは、いかに陽子が陰で色々言われていたかを逐一教えてくれた。

「習い事とか託児所とかと勘違いしてるわよねえ。陽介くん、可哀想ー」とか。

「何ひとつ手伝わないでほったらかしなんて、どういう神経してるんだか。あれだけ図太いと、却って羨ましいわあ」とか。

「ああいう人に限って、よそのお父さんとか監督さんとかと不倫したりするのよねえ」とか。

衝撃と屈辱に耐えながら、陽子は自分の迂闊さを呪っていた。

どうやら、スポ少においては保護者は全員子どもと共に来るのが当たり前で、病気でもない限り休むのは許されなくて、「仕事で来られません」なんてのはとんでもなく非常識なことだったらしい。家族旅行になどもちろん行ってる場合じゃなくて、日帰りのお出掛けさえ、練習が終わってからというのが常識らしい。保護者の中には、遠征試合の時に子どもたちを送迎するため、自家用車をわざわざ大型車に買い換えた人も少なくないと言う。子どもの、スポーツをしたい、うまくなりたいという望みを叶えるためには、あらゆるサポートをしていくのが当然なのだと言う。

「私たち、貧乏くじ引いたわよ」

と鳥飼さんは愚痴っぽく言っていた。

現在、チームのスターティングメンバーはほぼ六年生で占められている。そして六年生の保護者は、複数回役員を経験している人がほとんどだ。今回、新入りで何もわからない陽子達に役員を押しつけてきたのは、主に四年生の保護者達だという。

「四年生じゃ、スタメンに入る望みはゼロだから。今年、役員をやってもうまみがないのよ」

そう言われても、陽子にはまったく意味がわからなかった。

「ホラ、会計の佐倉《さくら》さんのとこは、五年生で一人だけ試合に出てるでしょ？」

重ねて意味ありげにそう言われ、おぼろげながら理解した。要は役員の子どもだと、試合に出してもらい易いという現実があるのだ。保護者側が監督に気を使っているように、監督も保護者に、とりわけ接触の多い役員に気を使うという現象が起きるのだろう。四年生だとさすがに体格面で上級生には敵《かな》わない。しかし五年生以上で条件が大差無ければ……。

そこで陽子はあることに気づいた。今の今まで忘れていたのがどうかしているようなことに。

「だけどコウちゃんって子は？　あの子も五年生でしょ。いつも試合に出てるそうじゃない？」

鳥飼さんはうんざりしたような顔をした。

「宮坂航《みやさかこう》くんのこと？　あの子は特別よ。第一、正式なメンバーじゃないもの。試合の時だけ、監督が頼んで参加してもらってたんだって。四年生の時からよ。低学年のチームでも、ずっと助っ人してて、ある意味有名人よね。確実に点がとれるストライカーなんて、そうそういるものじゃないし。あれだけずば抜けてたら、特別扱いもしょうがないって感じ」

そんなのアリ？　の言葉を呑み込みつつ、陽子は呆然と答える。

「……知らなかった」

「あなた何にも知らないのね」

明らかに小馬鹿にしたように言われたが、一言もない。

未だかつて、学問の場や仕事の場において、無知を糾弾されたことなど一度もない陽子である。だが、ある特定の分野における情報収集力は、極端に低いと自覚していた。

女同士のネットワーク、要はおしゃべりの輪に参加して、他人の噂だの有益な情報だのを仕入れる能力が、陽子には致命的に欠けているのだ。

時間の無駄だと思う。およそくだらない内容だとも思う。だが山ほどの石ころの中に、ときおりダイヤモンドなみに貴重な情報が紛れ込んでいるから厄介だ。ああ、これを知ってさえいたら、きっともっとうまく立ち回れたのに……事が起こってしまってから、そう臍《ほぞ》を噬《か》んだことが幾度もある。そこに陽介が絡んでくるならなおさらだ。

自分の愚かさや能力の欠如が原因で、陽介が「可哀想」なんて言われることは断固として避けたい。なのに、哀しいかな、そうしたことはわりにしばしば起こってしまう……。

だってライオンはシマウマの群れの中では暮らしていけないもの。向こうがまず受け入れてくれないし、ライオンだって草を食べては生きていけないし。

今さらながら、陽子は二度目のくじ引きについて、釈然としないものを感じていた。あのときの、お母さん達の意味ありげな態度……真っ先にくじを引かされた自分。もしかしてあれは、すべてが真っ赤に塗られたインチキくじだったのではないか？陽子を非常識で無責任だと認定し、皆でグルになって陥れたのではないか？

証拠はない。が、そうではないと言い切る自信も、全くない。あるのは皆から嫌われているという自覚だけ。

陽子は体中の空気が抜けていくような、深いため息をついた。

投げ出してしまった前団長は、きっと正しい選択をしたのだろう。自分だって投げ出してしまいたい。きっと嘲笑《あざわら》われるだろうけれど、それでもかまうものか。現状は、確実に仕事や家庭生活に支障をきたしている。団長になってまだ一ヵ月も経っていないというのに、しわ寄せやほころびが、あちこちに出ているのだ。たかが小学生のスポーツに、ここまで親が犠牲を払うなんて、何かが間違っているとしか思えない。

陽子はかつて無く弱気になっていた。

思わず、陽介に向かって愚痴を漏らしてしまったほどに。

「――ねえ、お母さんには団長、無理みたい。スポーツ少年団、辞めちゃおうかな……」

そう言った途端、陽介の顔は強張り、その両眼にはみるみる涙の粒が盛り上がってきた。

　そして、今にも破けそうな震える声で、絞り出すように言った。

「――やっぱり、おかあさんはママハハだから、よそのおかあさんみたいにしてくれないんだね」

　瞬間、世界がぐらりと揺れた気がした。

5

　小原日向《ひなた》は、父方の従妹だった。互いの家はごく近く、陽子の両親が揃って仕事人間だったこともあり、陽子はしょっちゅう日向の家に預けられていた。だから一般的なイトコ同士よりも、絆《きずな》はずっと濃くて深い。実際、二つ下の日向を、陽子は実の妹のように愛おしみ、可愛がっていた。

　日向は小柄で内気でおとなしく、つまりは陽子と正反対の女の子だった。信じられないくらいに純粋で優しく、その上健気《けなげ》だったから、周り中誰からも好かれていた。その点でも、陽子とは正反対だったと言える。

　社会人になり、仕事を覚えるのにただ必死だった頃、日向が男性とお付き合いしているのだという話を親づてに聞いた。お付き合いは極めて順調だったらしく、ほどなく結婚を前提とした真剣な交際に発展した。幾度か日向から、婚約者を紹介したいので三人で会わないかというお誘いも受けた。生憎《あいにく》と陽子の都合でそれは実現しないまま、とうとう挙式の日がやってきてしまった。

今にして思えば、陽子は焼き餅を焼いていたのだろう。大切で大好きな妹を、どこの馬の骨とも知れない男に取られるのが悔しかったのだ。

もちろん馬の骨だと考えたのは陽子の主観であり、実際にはお相手は誠実かつ優しそうで人好きのするタイプだった。誰からも好かれる日向にはお似合いだと、陽子は嫌々ながらも認めざるを得なかった。

それでも陽子は最後っ屁のようにして、新郎に伝えずにはいられなかった。

「もしあなたが日向を不幸にしたら、私が乗り込んで奪い返すから。日向には実家が二つあるの。よく覚えといてちょうだい」

新郎はちらりと苦笑を漏らしつつも、すぐに神妙な顔になり「覚えておきます」と請け合ってくれた。その様子が余裕たっぷりに見えて、陽子は彼を嫌いになることに決めた。当の日向は不幸どころかとても幸福そうに見え、それがいっそう忌々しかった。

新居は日向の実家にごく近いところだった。ということは陽子の家からも近かったわけで、このことだけには文句はなかった。実は日向は生まれつき体が弱く、主治医のいる病院から遠く離れることを、皆が反対したためだった。ちなみにこの「皆」の中には日向の夫も含まれる。彼の職場からはけっこう離れていたにもかかわらず、だ。この件に関してのみ、陽子は相手をまあまあ認めてやってもいいかという気になっていた。とは言っても、「大悪党」がせいぜい「中悪党」に格上げ（格下げ？）になった程度である。当人にしてみれば、自分が妻の従姉からほぼ「悪」のカテゴリに分類されているなどとは、夢にも思わなかっただろうけれど。

新居に招かれたときにも、日向はとても幸せそうに見えた。安心すると共に、若干の面白くない想いを嚙み締めていると、日向の夫が笑い混じりに言った。

「式の日に、こりゃ大変だって思いましたよ。花嫁の父が二人もいるなんてね」

何で女の自分が父なのだ、せめて母にして欲しい……そう言おうとしたら、日向がおっとりと口をはさんだ。

「父じゃなくって姉だもん、ね、陽ちゃん。陽ちゃんはね、名前の通り私の太陽なんだ。太陽がなくちゃ、日だまりはできないでしょう？　大好きな、私のお日さまなのよ。だからあなたも、仲良くしてね」

「……何だか新婚の夫としては妬《や》けるなあ……おれってひょっとして、陽子さんの次？」

ぼやくような言葉を聞いて、陽子は少しだけ、溜飲が下がっていた。

だがその後、日向から嬉しげに「赤ちゃんができたの」と報告されて、真っ先に思ったのが「何とめでたい」ではなく「何とけしからぬこと」だった陽子は、やはり姉と言うより母と言うより、父親じみた反応をしていたのかもしれない。

その同じ年、陽子は思いがけず体調を崩し、入院する羽目になった。若いんだからと、無茶をし過ぎたと自分でも思う。ストレスもずいぶんあった（主に人間関係にまつわるものだ）。それまで体力には絶対の自信を持っていた陽子だけに、仕事で各方面に迷惑を掛けることになり、かつてなくへコんだ。そして、陽子を欠いたままの編集部がけっこう機能していることに、さらにへコんだ。今にして思えば何を思い上がったことをという感じだが、当時は「自分じゃなければ」、「自分がいなければ」と、そんなことばかり考えていた。

自分で思っている以上に重かったのは、病状の方ばかりだった。

日向はもちろん、飛ぶようにして見舞いに駆けつけてくれた……大きくなったお腹を抱えて。それも何度も。叔母と一緒だったり、夫と一緒だったり、また一人でも。はっきり言って、実の親よりもよっぽど日向の世話になった。

「生まれる前で良かった。少しでも陽ちゃんの役に立てて良かった」

心配してくれながらも、日向はどこか嬉しそうに、そんなことを言っていた。病気と共に気が弱くなっていた陽子は、従妹の真心に思わず涙ぐんでしまった。

やがて陽子は退院したが、自宅療養が必要ということで、結局半年間の休職を余儀なくされた。あらゆることから置いてけぼりを食ったようで、陽子は不安でたまらなかった。退院の日、出産予定日直前だったにもかかわらず、やはり日向は駆けつけてくれ「まだ生まれてなくて良かった」と笑った。

そしてそれが、日向の笑顔を見た最後の日となった。

朝、本人から「陣痛が始まったから今から病院に行くね」と電話があったきり、待てど暮らせど「生まれた」の連絡がない。叔母には「いくら遅くなってもいいから必ず電話頂戴ね」と伝えてあった。日向の実家と婚家の両方に電話をかけ続けたが、誰も出なかった。いくら初産にしても、時間がかかりすぎている。いや、長引くお産はあるのだろうが、なぜ叔母は電話の一本もくれないのだ。

矢も楯《たて》もたまらなくなって、真夜中にタクシーを走らせた。ナースステーションで身内ですと告げたら、看護師がはっとした顔をした。

「母子共に、大変危険な状態だと聞いています」と言われ、血の気が引いた。

何かが起きたのだ。何か、考えられないようなトラブルが。

分娩室の前では、日向の両親と夫が、蒼白な顔で立ちすくんでいた。叔母が陽子の顔を見て「陽子ちゃん」とかすれ声で言ったきり、誰も一言も口をきかない。そこへ、沈黙を断ち切るように医師が出てきた。皆がはっと息を呑む中、医師は低い声で言った。

「最善の処置は施していますが、母体か赤ちゃんか、どちらかを選んでいただくことになるかもしれません」

　とっさに陽子は叫んでいた。

「そんなの決まってる。日向を助けて。お願いします」

　医師は陽子をちらりと見て「ご主人に聞いています」と言った。

「……そんなの、決められるわけないじゃないか。どっちかなんて」

　呻くように言う男に、思わず陽子はつかみかかっていった。

「あんたそれでも日向の夫？　迷ってる場合じゃないでしょ」

　すると相手は暗い怒りを閃《ひらめ》かせて言った。

「夫だよ……だけど父親でもあるんだ」

　陽子は相手の襟首から手を離し、崩れるように床にうずくまってしまった。

　それからのことは、よく覚えていない。ひどい船酔いになったみたいに胃がむかつき、視界がひどく揺れていた。

　気づいたときには、すべてが終わっていた。一つの命が消え、別の、新しい命が誕生していた。

　抜け殻のように惚《ほう》けている叔父叔母をよそに、日向の夫はまだふらふらしている陽子の腕をつかみ、ぐいぐい引っ張っていった。

連れて行かれたのは、NICUだった。

保育器の中に、小さな赤ん坊がいた。陽子にとって最愛の存在だった日向を、あっけなく奪ってしまった憎い憎い敵が。

だがその敵は、あまりにも儚《はかな》く、弱く、小さかった。

ぴったりとつむった瞼《まぶた》に生えた、微細な睫《まつげ》とか、蝶の腹ほどしかない指先の小さな小さな爪だとか。そんなものを見ているうちに、胸に様々な思いが込み上げてきて、熱い涙となって噴き出してきた。

「――日向の最期《さいご》の言葉を伝える」

その瞬間まで、存在を忘れきっていた傍らの男が、ふいに言った。

「きみと僕に、この子のことを頼むって」

まじまじと相手を見やると、彼はふっと目を逸らした。

「忘れてくれていい。ただ、彼女の言葉を伝えたかっただけだから。それからもう一つ。この子の名前。大好きな君の名前から、一文字もらいたいって」

そしてその日が、日向の命日となり、その忘れ形見たる陽介の誕生日となった。

6

陽子が山田信介と入籍したのは、日向の喪が明けた一年後のことだ。

プロポーズしたのは陽子の方である。

その頃には、日向が彼のどういうところが好きで惹かれたか、よく理解できるようになっていた。彼は日向と同じ種類の人間だった。陽子のとんがった部分をふわりと包み込む、大らかな優しさを持っている。なんだかとても安心できた。

信介にも同じようなことを言われた。

「日向がどうして君のことをあんなに好きだったのか、よくわかるよ。初めて会った結婚式の日、君はきれいな緑色のドレスを着ていたのに、まるで燃え立つ炎みたいだった。圧倒されて……正直惹かれた。僕と日向はよく似ているからね、惹かれるものもきっと同じなんだ」と。

入籍と同時に夫の実家近くに家を買い、親子三人での生活が始まった。近所の人たちは陽子が後妻であることなど知らない。陽子と陽介が生《な》さぬ仲であることも知らない。わざわざ言う必要もないことだった。

陽子の親戚にも、夫の親戚にも、陽子や信介のことをあれこれ悪く言う人はいた。知ったことではなかった。恥じることも、体裁をつくろう必要もない。ただ、陽介にとってどうすることが一番いいか、それだけを考えていた。それこそが日向の願いでもあると、自信を持って確信できたから。

陽子が陽介を連れて実家に帰るとき、できるかぎり日向の両親にも来てもらった。祖父母としてではなく、親戚のおじさんおばさんとして。それでも彼らは喜んでくれた。信介が別な女性と再婚していたら、縁が切れていたかもしれない、と。陽介も、彼らのことが大好きだ。子どもあしらいの下手な陽子の両親とよりも、よっぽど仲良く遊んでいるように見える。

そんな姿を見るにつけ、陽子は亡き従妹に語りかける。

「これで良かったよね、日向」と。

収まるべきところへ収まっただけなのだと、陽子は思っている。以前の病気の際、陽子は医者から自身の子どもを授かることは難しいだろうと言われていた。それを聞いたとき、女性としての哀しみと共に、心のどこかで安堵してもいた。良い母親になれる自信なんて、これっぽっちもなかったから。陽子にとって良い母親とは日向であり、日向の母であった。もちろん自分の母親は尊敬していたし、陽子自身の生き方も母により近い。だが、陽子のコンプレックスもまた、この母親に起因していると思う――一生、彼女には伝えることのないだろう思いだ。

陽介は、陽子の欠落した部分にするりと入り込み、温かなもので満たしてくれた。日向を失った痛みですら、年月と共に癒やしてくれた。

自分にこんな感情があるとは、思ってもみなかった。こんな日々を迎えることになるとは、夢にも思っていなかった。

幸せなのだろうと思う――たとえしばしば、柄にもない上に力量不足の代役を演じているような気分になって、胸がちくちく痛んでいるとしても。

日向のことは、もう少し陽介が大きくなって、様々なことを受け止められるようになってから話すつもりでいた。

――それなのに。

『――やっぱり、おかあさんはママハハだから、よそのおかあさんみたいにしてくれないんだね』

陽介は思い詰めた顔でそう言った。

どこからか、事実を聞いてしまったのだ。

陽介が発した「継母」という言葉が、陽子の胸に深く突き刺さる。

今の今まで、自分とその単語を重ねたことなんてなかった。おとぎ話に出てくる意地悪なそれと同じくらい、自分からははるか遠い存在だと思っていた。

いったいいつ、誰から？　とっさにそう思ったが、今はそこを追及している場合じゃない。

「違う。そうじゃない。そうじゃない」

陽子は大声で叫びながら、陽介を強く抱きしめた。

「ママハハだけど、それはそうなんだけど、陽介が言っているような意味でじゃないの。お母さんはどうしても陽介のお母さんになりたくて、だからママになって母になったの。そういうママハハなの」

自分でも無茶苦茶言っているなと思った。いつもの理性的な陽子は、どこにもいなかった。混乱の中で、腕の中の子どもが日向であるような気がしていた。同時に、自分自身であるようにも思えた。

日向が陽介に与えるはずだった愛情は、実は自分こそが受けたかったものだと気づく。幼い頃、両親が仕事で帰らない日。台風の夜も、雷鳴の夜も。一人、誰にも頼らず長い時間を過ごしていた。

——私は強いんだから平気。一人で何だってできる。甘ったれたクラスメイトとは違うんだ……。

窓ガラスの向こうに誰かがいるような気がしたり。家のどこかで何かが軋《きし》むような音がしたり。どきりと心臓がはねることがあっても、怖くて泣いたりしたことは一度もなかった。

——お化けだってドロボウだって狼だって、どんな敵が現れたって平気。だって私は強いもの。子どもだって知恵と勇気で、やられる前に敵を倒すことができるんだ……。

常にそう自分に言い聞かせていた——やがてはそれが生き方になってしまうほど強く。

陽子は腕にぎゅっと力を込めた。子どもだった自分を抱くような思いと共に、かけがえのない我が子である陽介を、強く強く抱きしめた。

涙が頬を伝い、同時に陽介の顔も濡らしていった。

「よそのお母さんなんて関係ないよ。陽介のためなら、どんなに強い悪者とも、どんなに怖いお化けとも、お母さんは闘えるよ。闘って勝ってみせるよ。陽介を守って闘うお母さんは、世界中でお母さん一人きりだよ」

言いながら声を上げて泣くと、陽介はひどく驚いたらしかった。

「……一緒にたたかうよ」

生真面目な顔で、陽介は言う。「え?」と顔を上げたら、もう一度言われた。

「ぼくも悪者とたたかうよ、おかあさんと一緒に。だってぼくは男なんだから」

誇らしげにそう言われ、ああ、ちゃんと小さな紳士に育っているんだなあと感慨深く、少し笑えて、またもや泣けてきた。

「ねえ、サッカーのことだけど」陽子は姿勢を正して言った。「ちゃんと話し合おう。お父さんと、三人で」

しばらく黙っていた陽介は、やがてこくりとうなずいた。そして言った。

「あのね、ぼく、カントクが怖いんだ。すぐ怒鳴るから。それとね、五、六年生も怖いんだ。すぐ嫌なことを言う……下手っぴとか、どんくさいとか。ボールもあんまり蹴らせてもらえないし」

「最初はそんなもんだよ」

「うん……だけどぼく、コウちゃんがずっといると思ってた」

「ああ、そうだね」

「コウちゃんに、教えてもらえたりするんだと思ってた」

「……そうだね」

思い描いていたものとは大きく違い、陽介なりに失望を感じていたものらしい。

そんな母子の会話があった日の夜、陽子は二本の電話を掛けた。

最初の電話は宮坂航くんの家である。番号は、学童保育所の連絡網で見つけた。

美容師をしているというお母さんは、さばさばした気っ風のいいしゃべり方をする人だった。

「ええ、そうなの。流しの助っ人みたいなことしているわ。それで時々、スポ少のお母さん方から苦情の電話が来るの。お金も払わず人手も出さず、それで試合にだけ出るなんて、いいとこ取りでずるいって。でもしょうがないじゃない？　私は土日仕事だし、うち母子家庭でお金ないし、第一こっちが頼んで試合に出してもらってるわけじゃなし。うちの子も、今の形が気楽でいいみたい。山田さんもフルタイムでお仕事してるんでしょ？　じゃ、スポ少なんて全然無理よ。いい悪いじゃなくて、時間に余裕のある人にしか務まらないのよ、あれは。子どもが趣味ってくらいで、付き合いはママ友オンリーって感じの人じゃなきゃね。私たちには、物理的に無理」

相手は陽子を同類と見做《みな》したらしく、そんなことを言っていた。

次に電話を入れたのは、母方の親戚のところだった。いつぞや陽子に「つ離れ」について語った伯母である。

こちらへは、最初から戦闘モード全開だった。

「伯母様、以前うちに来られたとき、陽介に余計なことを吹き込んだそうですね？　継母がどうとかって」

確認の形を取った糾弾だった。あの後、落ち着いた陽介から聞き取ったのである。以来陽介は長いこと一人で悩み、小さな胸を痛めていた。陽子としては、どうしても許せなかった。

「あらあ、だって、陽子ちゃんとは血が繋がっていないわけでしょ。早いうちから本当のことを教えて、遠慮とか感謝の気持ちを育てた方がいいのよ。でないと、あのくらいの男の子なんてどんどんワガママに育っちゃうでしょ。私はね、陽子ちゃん、あなたのためを思って……」

果てしなく続きそうだった言い訳を、陽子はすぱりと遮った。

「私のためを思ってくれて、ありがとうございます。ですが伯母様、私と陽介とは、ちゃんと血が繋がっています。それと……」

慇懃無礼《いんぎんぶれい》さを保ったまま、ごく冷ややかに言った。

「もう二度とうちには来ないで下さい」

電話の相手は何か叫んだようだったが、それ以上聞く気もない陽子は叩きつけるように受話器を置いた。絶縁上等、二度と会う気もない。

家族間の話し合いもした。

スポーツ少年団の団長としてこなさなければならない仕事と、それに費やされる時間をわかりやすく書き出すと、夫と子どもはそっくりな表情でぽかんと口を開けていた。

「お父さんと分担することも考えたけど。車をワンボックスカーに買い換えて、試合の送迎や荷物運びができるようにして……もうずっと旅行も週末の遊びもショッピングも諦めて。お父さんにはお料理をもっと覚えてもらって、お母さんが仕事でいないとき、監督や審判のお弁当を作ってもらって、おしぼりやドリンクも差し入れてもらって、他にもあれやこれや、あれやこれや……」

「無理だな」

真っ先に夫が言い、陽子は軽く相手をにらみつけた。だが、思いがけないほどあっさりと、陽介が同意した。

「うん。無理だね。ぼくんちじゃ、無理だ。これじゃおかあさんがかわいそうだもん」

「あのね陽介。無理しなくてもいいのよ。お父さんやお母さんが無理するのは、全然かまわないの。陽介がどうしてもしたいことなら、頑張って応援するから」

「無理してない」陽介は、ぽかっと笑った。「だからおかあさんにも、無理してほしくない。だっておかあさんはよそのおかあさんと違うもん」

ずきんと胸が痛んだが、陽介の言葉はまだ続いていた。

「だってうちのおかあさんは、よそのおとうさんにも負けないくらい、お仕事をがんばってるんでしょ」

思わずうるりと目尻に水分が湧く。歳のせいとは思いたくないが、最近どうも涙もろくていけない。

「――あのね、コウちゃんのお母さんが言ってたんだけど。コウちゃん、校庭開放の土日で試合に呼ばれてないときは大抵、学校の校庭でサッカーの練習してるんだって。あと、放課後もしょっちゅう。陽介にも教えてくれるよう、言っといてくれるって。コウちゃん、下の子の面倒見るの好きだからって」

「ホント？　ヤッター」

たちまち、陽介は眼を輝かせた。

結局のところ、陽介の夢は将来Jリーガーになることではなくて、ただ単に、憧れの上級生にサッカーを教えてもらえればそれで叶うものだったようだ。

陽子は次の練習日の父母会に赴き、新品のサッカーボール二つを差し出しつつ、「申し訳ありませんが退団させていただきます」と告げた。そして呆気にとられる母親達を尻目に、さっさと帰ってしまった。今頃は、またくじ引きでもしているのだろうか。さぞかし陽子の悪口に花が咲いていることだろうが、実際大いに迷惑をかけてしまったのだから仕方がない。

まるで、気軽に入りかけた風呂が思いのほか熱くて、突っ込んだ爪先を火傷《やけど》した挙げ句、慌てて引っ込めた……みたいな情けない結果に終わってしまった。

人により、情況により、どうしても無理ということは、やはりある。無駄な試練だと思えてしまうようなことは。

陽子がどうしたって昆虫の類が好きになれないように。

陽子や航くんのお母さん同様、無理だと考える親も多いのだろう。スポ少人口は、少子化と共に年々減っていると聞く。対して、長引く不況で共働き夫婦は年々増えている。ここらでシステムを根本的に見直さないと、日本のスポーツ界の未来は暗いのではないかとさえ思えてくる。

それとも、本当に才能のある子は、航くんのようにきちんと表に出てくるものなのだろうか。ならばいいが、そうならそうで、我が子の才能を伸ばそうと必死になっている親たちには皮肉な話である。


　久しぶりの何もない日曜日、陽子は夫や子どもと一緒に球技ができる公園に行った。ひとしきりリフティングやシュートの練習に付き合ったあと、陽子はトートバッグからソフトボールとグローブを取りだした。

「ねえ、陽介。気分を変えて、キャッチボールしない？」

「えー、おかあさん、できるの？」

「できるよ。これでも高校時代、ソフト部でキャッチャーしてたもの」

へー、初めて聞いたと、父子《おやこ》して眼を丸くしている。

「息子とこうしてキャッチボールするのが夢だったのよ」

にっこり笑って言ったが、嘘である。どう取ったか、傍らで休んでいた夫もにやりと笑って言った。

「それは男のロマンだね」

「でしょ」

軽く答えつつ、ボールを投げる。神妙な面もちで、陽介が受ける。オーバーなフォームで陽介が投げる。陽子がキャッチする。そうして白いボールは爽やかな初夏の中、ゆるやかな放物線を描き、母子の間をひたすら行き来する。時にミスして受け損ねたり、あらぬ方向に転がったりしながら。

第6章

先生が敵である

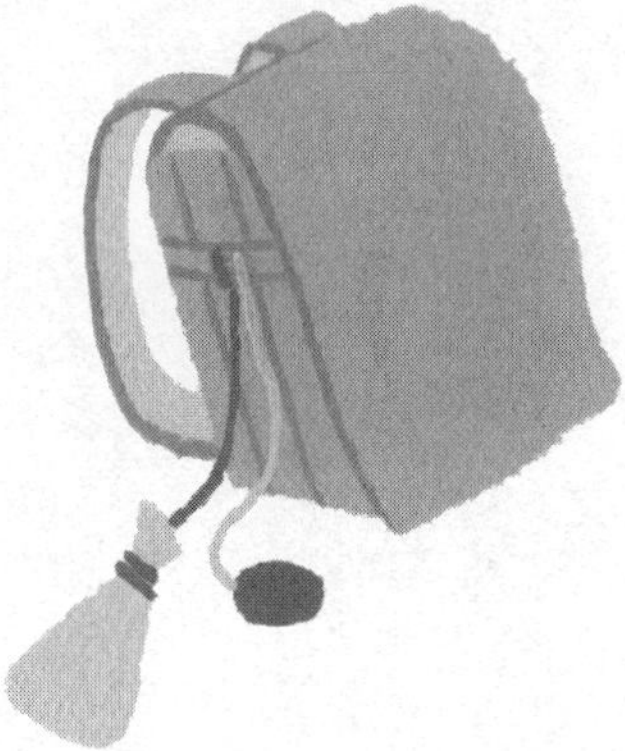

1

電話で名乗られたとき、陽子は本気で相手に心当たりがなかった。

何か小動物のように、びくびく怯《おび》えた感のあるしゃべり方だった。陽子と同年配の女性らしいが、聞き覚えのある声ではない。相手の名字にも、何ら記憶を刺激されることはなかった。

「――ええと、村辺、さんでしたよね。どちらの村辺さん？」

事務的で冷たい口調はわざとだ。小学校の緊急連絡網名簿を業者に売った不届き者がいるらしく、学習教材だの家庭教師だののセールス電話がしょっちゅうかかってくる。これもたぶん、その類だろうと思ったのだ。

が、それにしては伝わってくる雰囲気が暗い。

「……覚えてないみたいですが……」怨みがましいような湿っぽいような口調で相手は言う。「村辺真理の母親です……一、二年生のときに同じクラスだった」

「ああ、あの」いつぞやの泥棒ね、とはさすがに言えず、陽子は「どうもご無沙汰していますと続けた。できればずっとご無沙汰していたかった、と思いながら。何しろ保護者による学校給食費集計中、ちょろりと札をくすねてくれた人である。その犯罪行為もさることながら、そんなことをしでかして発覚せずに済むと考える浅はかさや愚かさが、毛虫みたいに嫌だった。

しかし今さら何の用で村辺が電話なんてかけてくる？　低学年の頃は、学校行事で顔を合わせても、卑屈な笑みを浮かべてぺこぺこ頭を下げつつ、逃げるように視界から消えていた。先の事件があったのだから無理もない反応で、陽子としてはそれで別に何の問題もなかった。三、四年生ではクラスが別だったこともあり、陽子の脳裏からは完全に抹消された人物だった。

年度末にかかってくる電話については、もしそれが小学校の保護者だったりすると、新学年のPTA役員依頼にほぼ間違いないと言える。だが息子の陽介は今、四年生だ。新五年生になるにあたってはクラス替えがあるから、役員決めは四月になってからである。だがその他に、思い当たることはまるでない。

とうの昔に縁が切れたような人や、一応知っている程度の人から、唐突にかかってくる電話なんて、きっとロクなもんじゃない。

物売り系だなと、陽子はとっさに身構えた。鍋だの洗剤だの補整下着だの、最悪は霊《れい》験《げん》あらたかな壺だの万病に効く水だの、そうした高額な物を買えと言ってくるに違いない……。

陽子がそんなことをつらつら考えることができたのは、相手の間《ま》がやけに長かったからだ。短気な陽子のイライラがつのるには充分なくらいに。

「あの、それでご用件は何でしょう？」

我慢できなくなって尋ねると、途端に相手はオロオロ声を出した。

「……山田さんは私のこと忘れてたみたいですけど……いえ、別にそれはいいんですけど……」

言葉とは裏腹に、どう聞いても「良くない」と言っている。どうやら陽子が忘れていたことにショックを受けたらしい。怨みがましい感じでぼそぼそ続ける村辺を、うんざりしつつ陽子は遮った。

「いえいえ、ちゃんと覚えてましたよ。知り合いに別な村辺さんがいるから、とっさにどっちかわからなかっただけで。それで、ご用件は何でしょう？」

同じ質問を繰り返したが、また、妙な間が空いた。相手も陽子の苛立ちを感じているだろうに（まったく隠していなかったから）、よほど話しにくい内容らしい。

「もしかして……」埒《らち》があかないので、ずばり言ってやることにした。「あなたの盗癖がわざわいして、何かトラブルでも起きた？」

言い放った直後、ひょっと息を吸うような音がして、それから電話越しに聞こえてきたのは、こらえきれないような嗚咽《おえつ》の声だった。

「……私が、悪いんです。それはわかっているんです。きっと病気なの。自分でも駄目だってわかってるのにやめられなくて……でも、このままじゃ真理が……すごく嫌な予感がするんです。このままだと大変なことに……真理が……真理が……」

絞り出すように言うなり、声を殺して泣く気配が伝わってくる。

陽子は小さくため息をついた。

別にクレプトマニアの主婦がどうなろうが、知ったことではない。だが、その娘の名を出されると、少々怯《ひる》むものがあった。

正直、親に関しては今の今まですっかり記憶から消去していたのだが、「むらべまり」ちゃんに関しては、一つ忘れられない出来事があった。

息子の小学校には集団登校がない。それでも、登校時間に通学路を通っていれば、そこかしこにぞろぞろと児童が歩いている。だから最初の頃はともかく、二年生になる頃にはもう、陽子はさほど心配していなかった。下校については学童保育所に迎えに行くのだから、元々心配はない。

二年生の冬頃、陽介を迎えに行った帰り、とある家の前で息子がふと思いついたように言い出した。

「あのねー、ここんちのお兄ちゃんがねー、ゲームくれるって。今度もらいに行ってもいい？　ポケモンのさー、図鑑コンプしたやつ、もういらないからあげるって言ってた。伝説のポケモンもぜんぶだよ。すごいでしょ。それにね、レベル100のがたくさんいるんだって。すごいでしょ」

　眼をキラキラさせてゲームについて語り始めた陽介を押しとどめ、その時の情況を詳しく聞いて陽子は青ざめた。

　数日前の、登校時のことだった。戸建てから出てきた「お兄ちゃん」が、一人で歩いていた陽介にいきなり話しかけてきた。これこれこういうすごいゲームソフトをあげるから、うちへおいでよ、と。ほんのちょっとだよ、すぐだよ、だからおいでよ、と。

　どう考えても、不審極まりない話である。子どもを狙った犯罪が多発する昨今、男児であるということは、何の安心材料にもならない。学校からは、この街にこれほど変質者がいたのかと呆れるくらいの頻度で不審者情報が回ってくる。中にはただの子ども好きの老人じゃないかと思えるようなものもあるのだが、子どもにそんな区別がつくはずもなく、学校も親も口を酸っぱくして知らない人に気をつけるよう言い続ける毎日だ。

「……でも、結局ついて行かなかったんでしょ。えらかったね」

　鼓動が速くなるのを感じつつ、息子を誉めると陽介は嬉しげに笑った。

「ほんとはね、ちょっとならいいかなって思って行きかけたんだけど、むらべまりちゃんがね、いつのまにか来ててね、『あー、寄り道しちゃいけないんだー、先生に言ってやろー』って言ったから、やっぱりやめたんだ。だからまりちゃんも、先生には言わなかったみたい。だけどお母さんといっしょなら、もらいに行ってもいいよね」

そうしてまた、無邪気に微笑むのだった。

陽子はその場で息子に厳重に教え諭し、それから学校と警察に連絡を入れた。後に学校から受けた説明によると、問題の家には不登校の少年が住んでいた。共働きの両親が出勤した後、少年だけがその家に残る。当人は「遊び相手が欲しかっただけ。変なことは考えていない」と主張していたそうだ。

だがその数ヵ月後、その少年は補導されることになる。公園で遊んでいた幼児を、トイレに引きずり込もうとした容疑で。

つくづく、陽介はとんでもなく危険な縁《ふち》に立たされていたわけだ。そして、そこから無事に連れ戻してくれたのは、他ならぬ「むらべまり」ちゃんだ。

母親はともかく、その娘にはなみなみならぬ恩義がある。そして今、その真理ちゃんに何か危機が訪れているらしい。

陽子はもう一度ため息をつくと、意を決して言った。

「――わかった。話、聞くだけ聞くから」

それが、新たな闘いの幕開けであった。

2

「——最初は、すごくいい先生だと思ってたの」

村辺はフリードリンクのコーヒーを一口すすってから、ふるえる声で言った。

子どもには絶対聞かせたくない話だとのことで、仕方なく夜のファミレスで落ち合った。それぞれ子どもは夫に預けている。

真理ちゃんが三年生になってからの担任、若林《わかばやし》先生は新卒だった。ややお坊ちゃんぽい風情ではあったがなかなかの男前で、当初から母親達の評判はすこぶる良かったらしい。とにかく若いだけあって何事にも熱心に、一生懸命取り組んでくれる、爽やかで快活で優しくて、だけど曲がったことは絶対に許さない、涙を流しながら悪童に今やったことの何がどういけなかったかを、時間を掛けて諭してくれる……クラスの違う陽子の耳にまで、そんな噂は届いていた。

村辺がおや？　と感じたのは家庭訪問のときだ。この学校では通常、家庭訪問は一年生時にしか行わない。だが、若林先生は「皆の家庭環境を知りたいから」と時間を掛けて一軒一軒回っていった。村辺家にも当然訪れたのだが、「お子さんの部屋も拝見したい」と希望し、なぜかデジカメを取りだして何枚も撮影していた。何だか変なことをする、と思った。話の内容も、当たり障りのないことから始まって、「他のお子さんや保護者の方に、何か問題のある人はいませんか。何かお困りのことがあったら、何でも言って下さい」と言われた村辺は、少し嫌な気持ちになった。先生が他の家庭を訪れた際に同じ質問をしていたら、村辺自身の名が挙がっていた可能性があるからだ。

しかし先生はあくまでも爽やかに、「何か問題があったら、どんな些細なことでもかまいませんのでご相談下さい」と言い残し、帰って行った。暑苦しいくらいに熱心だけど、いい先生だと、そのときは思った。

だがしばらくして、真理がふと言った。

「若林先生キライ」

「なんで？　いい先生でしょ？」

少なくとも、一、二年生の時の頼りない女の先生よりは、ずっとよくやってくれているように思う。

なぜ嫌いなのかと尋ねても、きちんとした返事はない。なんでも、とか。何となく、とか。そんな曖昧なことばかり言っているので、ただ単に相性が悪いのだろうと思っていた。

そのうちに、なぜか真理はスカートをはいて行くことを嫌がるようになった。理由を聞くと、「若林先生、キモい」と吐き捨てるように言った。

今、クラスで高鬼《たかおに》がはやっているのだが、昼休みなど若林先生はよく参加してくる。その際、可愛くてスカートをはいた女の子だけを選んで肩車し、鬼から逃がしてやる……そんなことを、長い時間をかけて聞き出した。

「……そんなの、考えすぎじゃないの？　女の子の方が足が遅くてつかまりやすいから、助けてあげてるだけじゃないの？」

村辺が懐疑的に言うと、真理はぷっと頬をふくらませて、それきり押し黙ってしまったそうだ。

次の週、真理が持ち帰った学級便りに、次のような一文を見つけた。

『最近、先生に対して「キモい」という言葉を使った児童がいました。お子さんはテレビなどで覚えた悪い言葉を、深い考えもなく使ってしまいがちです。どうかご家庭で、このような言葉がどれほど相手を傷つけるか、自分が言われたらどう思うかなどについて、話し合う機会を設けていただけないでしょうか。言葉の大切さについて、学級でも折に触れ、指導していきたいと考えています』

いやな予感がした。恐る恐る娘に、「これ、もしかして真理ちゃんのこと？」と尋ねると、真理は口をへの字に結び「だってキモいんだもん」と言った。

高鬼のとき、言われたそうだ。

『なんで最近はズボンばっかなの？　先生、スカートの方が好きだなあ』と。それに対して即座に『キモっ』と返した娘も娘だが、これを聞いて初めて「確かに少し気持ち悪いかも……」と思った。

このとき初めて夫にも相談してみたが、「考えすぎだろ」と一笑に付された。「おまえもさ、八歳の子どもの言うことをいちいち真に受けるなよ。それより、女の子のくせに先生にそんなこと言う方が問題だろ。おまえ、どういう教育してんだ。あまりおかしなテレビは見せるなよ。だいたいおまえが、くだらない番組ばっか見過ぎなんだよ……」などと矛先《ほこさき》が次第に自分に向いてきたため、それ以上は何も言えなかった。

翌週、授業参観があり、早めに足を運んだ村辺は思い切って見知らぬ母親に声をかけてみた。

「あの、若林先生ってどうですか？」

「どうって……」いきなり話しかけられた相手は、怪訝《けげん》そうに首を傾げた。「いい先生ですよね。熱心で、よく遊んでくれて。うちの子も大好きですよ」

その人は男子児童の母親だったが、あと数人の女子児童の母親に尋ねても似たような返事だった。何を変なことを聞くのかと、逆に不審そうな顔ばかりをされた。

授業が始まり、若林先生は適度に冗談などまぜつつ、板書したり説明したりしている。新米の先生にしては、面白い授業なのではないかと思う。まだまだ落ち着きのない三年生が、興味深げに先生の話を聞いている。魅力ある先生なのではないかと、思う。

やがて、班ごとに分かれて話し合いとなった。島と島の間を、先生は快活に声をかけながら回っていく。真理の背後を通るとき、先生の手のひらがポンと娘の頭に載った。一秒、二秒、三秒……すっと手のひらは離れた。真理が、何かを払いのけるように頭を振った。

特に、不自然なことはなかったように思う。なのに、どうしてこんなにざわざわとした嫌な気持ちになるのか。

参観後、保護者会があった。いつもは参加せずにそそくさと帰る村辺だったが、思い切って残ってみた。保護者十名ほどが席に着くと、若林先生は快活に笑いながら「実はこないだの連休に北海道に行ってきたんですよね」と言い、一人一人にホワイトチョコのクッキーを配ってくれた。皆オーバーに歓声を上げ、口々に礼を言う。その顔は一様に、先生に対して好意的だった。

それから先生は、子どもたちがいかに自分を慕ってくれるか、どれほど自分が彼らを可愛く思っているかについて、熱く語った。

どう見ても、申し分のない先生だった。

最後に一人一人、気づいたことや要望などについて述べる時間があったが、村辺はへどもどしつつ「……特にありません」とつぶやくのが精一杯だった。

澱《おり》のような漠とした不安を抱えつつ、無為に時は過ぎた。大丈夫、水は澄んでいる。

わざわざ底から掻き回して、濁らせることはない……たぶん、そんなふうに思っていた。息をひそめてそうっとしていれば、一年なんてあっという間だ——そう考えていた。一年経てば、担任なんて替わるんだから。

だが、四年生になったとき、若林先生はそのまま持ち上がりとなった。新学期、家に帰ってそのことを告げた真理の顔は、明らかにくもっていた。

四月の個人面談の時、若林先生に言われた。

「真理さんはどうも協調性に欠けるところがあって、クラスのみんなともうまくやれないことが多いですね、孤立しがちというか……いや、別に嫌われているとか、そういうんじゃないですが。もちろん、苛めとかに繋がらないように、僕がしっかり見ていますから大丈夫ですよ。真理さんにも、何かあったら何でも僕に相談するように伝えて下さい」

にこやかな相手に、村辺はただ「よろしくお願いします」としか言えなかった。

協調性がないとか、孤立しがちというのは、村辺自身が子どもの頃、散々言われてきたことだ。人付き合いは今も苦手で、苦しむことも多い。やはり子は親に似るのかと、暗澹《あんたん》たる気持ちになった。

それを思い知らされたのは、運動会のときである。五月最後の日曜日、精一杯のお弁当をこしらえて、応援に駆けつけた。真理が出ている創作ダンスを見ていて、あることに気づいてしまった。

　子どもたちが二人組になるとき、真理の相手となるのは常に若林先生だった。

　どう考えてもこれはおかしい。そう思い、ダンスの直後、児童観覧席に足を運んだ。戻ってきた若林先生に「なぜうちの子だけがずっと先生と組んでいたんですか」と聞いてみた。それだけ口にするのにも勇気がいり、眼が潤む。

　だが若林先生はごく快活な笑顔で言った。

「ああ、気にしないで下さい。うちのクラスだけ人数が奇数なんで、特別に僕が組んであげたんです。他の子からはすごく羨ましがられているんですよ。さすがに僕は恥ずかしいですけどね、子どものためならこれくらい、どうってことないです」

　周囲もごった返す中、村辺は相手に何と返せば良いかもわからず、ようやく「そうじゃなくて」と口の中でつぶやいたときには若林先生はもう忙しげに立ち去っていた。

　真理がどう考えているのか、まったくわからなくなっていた。真理から若林先生について何か言うことは、一切なくなっていた。夏になって、水泳授業を嫌がる素振りを見せたときにも、理由を聞いても、「嫌だから嫌」としか言わなかった。

　気のせいに違いない。夫の言うとおり、たぶん、考えすぎだろう。

　そう自分に言い聞かせているうちに、秋になった。ある日突然、放課後の学校に呼び出された村辺は、恐る恐る教室に入った。片隅に、うなだれた真理と若林先生が座っていた。入室した村辺に、先生はほとんど嬉しそうと言っていいような笑みを向けた。

「や、お母さん。お待ちしていました。どうぞおかけ下さい」

快活にすすめられた椅子には、びっしりと棘《とげ》が生えているような気がした。

「……実はこのところ、クラスで問題が起きていましてね」

切れ味の鋭い包丁で、ざくざく野菜を刻むように若林先生は言う。村辺の心臓が、嫌な予感にきゅっと痛んだ。

「子どもたちの持ち物が、しょっちゅう無くなるんですよ。新しい消しゴムとか、シールとか、ヘアゴムとか、そういう細々したものです。もちろん、自分で無くしたんだと思っていましたよ、僕は。よく探すように言いましたし、勉強に関係ない物は持ってこないようにとも指導していました。しかし子どもってのはね、特に女の子は」おわかりでしょう？　とでも言いたげに、先生は大仰《おおぎょう》な仕種で肩をすぼめた。「だけどあんまり続くんで、クラス全体が嫌な雰囲気になっていましてね……それで、言いにくいのですが」

そこで言葉を切ったのは、言いにくいからというよりも、相手に与える効果をより大きくしたいという理由のように、村辺には思えた。そして続く言葉も、村辺には何となく予想がついていた。

「今日、盗まれた品物が全部見つかったんですよ……真理さんの道具箱の中から」

　真理はうつむいて何も言わない。

「そんな……まさか。何かの間違いじゃ……」

　そうつぶやく村辺の声は、弱々しかった。

「これが、見つかった品物です」

　ぽんと置かれた小箱に入っているのは、どれも真理の好きなキャラクター物ばかりだった。それを見たとき「まさか」の思いが「もしかして」に塗り替えられていく。

「お母さん、わかっているんですか？」

　ふいに、若林先生が大声を上げた。村辺は真っ青になって身を縮める。

「お母さんのことは、色々聞いていますよ。あなたがそんなだから、真理ちゃんがこんなことをするようになったんじゃないですか？　あなた自身が母親として失格なんだってことを、まず自覚して下さい」

　ひどいことを言われている、と思った。だが、何ひとつ言い返せなかった。あとはただひたすら、蚊の鳴くような声で謝り続けた。真理は最初から最後まで、顔を上げず、一言もしゃべらなかった。

　この件に関し、村辺は真理を叱らなかった。いや、叱れなかった。母子の間でそれは無かったことのようになってしまった。もちろん夫にも言えなかった。村辺はその手癖の悪さのせいで、何度も近隣トラブルを起こしている。今度やったら離婚だぞと、きつく釘を刺されていた。

今年度さえ乗り切ってしまえばいい……村辺はすがりつくようにそう思った。若林先生さえ担任を外れてしまえば、もう大丈夫。今は秋なんだから、あとは冬さえ乗り切ればいい。春になれば、別な先生が担任になる……。

だが、春になる前にまた、事件は起きた。学校近くの書店で、真理が万引きをしたのだ。

たまたま書店内にいたという若林先生から電話が来たとき、村辺は目の前が真っ暗になった。文具売り場もあるその書店で、真理はキャラクター消しゴム一個を紙バッグの中に落としたのだと言う。

村辺が呼ばれたのは、小学校の校長室だった。大きなソファの片隅に真理がぽつんと座り、校長先生と若林先生が何事か話していた。

入室した村辺に、校長先生は厳しい視線を向けた。

「お母さん、娘さんが何をしたか、そして若林先生が何をしてくれたか、あなたはよく知らなきゃいけませんよ。先生は、あなたの代わりに、店長さんに土下座してくれたのですよ。おかげで、警察沙汰にだけはならずにすみました……」

「……すみません」

うつむいてつぶやくと、校長先生はたしなめるように言った。

「私に謝るのではなく、若林先生に感謝するべきではないのですか?」

「ありがとうございます」

促されるまま頭を下げると、若林先生は顔の前で大袈裟に手を振った。

「教師として、当たり前のことをしたまでです。ご安心下さい、お母さん。お嬢さんのことは、卒業するまで僕が責任を持って見守っていきますから」

そう言って、実に満足そうに微笑んだのだった。

3

「――どう思う?」

話し終えて、受話器を持ち直しながら陽子がそう尋ねると、相手は珍しく「うーん」と言いよどんでいた。

その気持ちはよくわかる。陽子も、村辺からこの話を聞いての最初の反応は、まったく同じものだった。

普通にいい先生なんじゃないの?

熱心すぎるくらいで、子どものことが大好きな……。

肩車とか、スカートとか、おかしな方向に思い込み過ぎじゃない? それより、我が子が万引きって、そっちの方が大問題で、早急になんとかしなきゃならないことじゃないの？　子どもとろくに向き合えていないことを、まず反省するべきなんじゃない？

そんな批判的な感想ばかりが次々と湧いてくる。

だが、村辺自身が感じている、言いようのない不安感は、いくらか陽子にも伝染していた。確かに何かおかしいという気もする。

電話の相手は陽子の高校時代の友人で、今は結婚し、児童養護施設で働いている。もう十年以上にもなるだろうか。だからというわけでもないが、陽介を我が子にしようと決めて以来、何度も相談に乗ってもらっている。

数年前、同窓会で会ったときには、『最近、盗癖のある子が入ってきて、小学校と警察を往復する日々よ』と言っていた。決して愚痴めいた発言ではなく、ただ淡々と日常を伝えるといった感じだった。

村辺の話を聞き、すぐに彼女のこの言葉を思い出した。彼女は、ただ真っ直ぐに突っ走るばかりの自分と違って、柔軟でしなやかな思考力を持っている。あの人ならば、自分とは違う観点から意見を言ってくれるかもしれない。そう思った。

「……普通なら、まだ二年目なんて経験の浅い先生に高学年を任せることはないから、それほど心配いらないと思うんだけど……今は受験する子が多くて、親もうるさいから、ね」考え考えしながら話しているのか、ゆっくりと相手は言った。「ただ、問題を起こした児童の面倒を見るって先生が宣言してて、それを校長先生が認めちゃってるとなると、五、六年生も受け持ちになる可能性は高いかも」

「その辺のシステムはよくわからないけど、そうなるのかしらね」

相手はまた少し考えるように、ううんとつぶやいてから言った。

「私ね、母親のカンって、結構な確率で当たると思うのよ。その村辺さんって人がそれだけ危機を感じているんなら、本当に何か問題があるのかもしれない。よく思うんだけど、学校ってところは高くて厚い塀にぐるっと囲まれてる感じなのよね。色んな行事とかPTA活動とかは、その塀に小さな穴を開けて覗くようなものなの。見えるのはほんの一部で、なかなか全体像は見えてこない。本当なら、子ども本人が一番大きな覗き穴なんだけど、話を聞く限りじゃその穴は塞《ふさ》がってしまっているんでしょう？」

確かに真理ちゃんは何も話さなくなってしまったと聞いている。それはとても、危険なことだ。

「母親に対する不信感が芽生えちゃったんだろうけど……まああの母親じゃ無理もないって言うか」

まず母親から更生させて……なんてやるのはさすがに迂遠《うえん》に過ぎる。同じことを思ったのか、相手も電話の向こうで小さくため息をついた。

「色々気になることはあるけど、今の段階じゃ、何も言えないかも……とにかく覗き穴を増やす意味でも、行事に積極的に出てお手伝いをしたり、PTA役員になったり、そうやって学校に出入りする機会を増やしていくのが一番だと思う。風通しのいい場所なら、そうそうおかしなことも起こらないわ」

「うん、そうね。私もそれしかないと思う……。そういう方向でアドバイスしてみるわ。万が一ってこともあるしね……確かにね、話を聞いているとちょっと気持ち悪いのよ。真理ちゃんに向かって『君は先生のお花ちゃんだから』なんて言うんだってさ。おいおい、何だよそりゃ、メルヘンですかって、突っ込みたくなるよね」

そう言ってから、くすりと笑ってしまった。高校時代の友人相手だと、しゃべり方まで何だか高校生みたいになっているのが、自分でおかしかったのだ。

だが、電話の相手は「え」と驚いたような声を上げた。

「『お花ちゃん』って、本当にそう言ったの？」

「え、ええ。そう聞いたけど」

やや沈黙があってから、少し硬い声で相手は言った。

「その先生、やっぱり要注意よ。花っていう漢字をバラバラにしてみて。カタカナのヒとイ、それから横に倒したキの文字になるでしょ。『花』っていうのはね、教育関係者の間で『ヒイキ』を表す、隠語みたいなものなのよ」

4

「――学級委員、立候補します。ぜひやらせて下さい」

会が始まるなり、陽子は立ち上がり、さらに高々と手を挙げた。

陽介五年生の、最初の保護者会である。クラス替えのある三年生と五年生については、新一年生の時と同様、四月の保護者会でPTA役員を決めることになっている。今までずっと役員義務を逃げまくってきた陽子も、さすがにそろそろやらないとマズい時期ではあった。本来なら二回引き受けないとならない決まりだが、聞けば皆が皆、二度やっているわけでもないらしい。会社員である陽子が引き受けられるとすれば、学級委員くらいしかないのだが、最終学年でその任に当たるのは危険だという話も聞く。アルバムだの記念品だの謝恩会だの、他学年の何倍もの仕事があるのだ。

だから陽子としても、今回が頃合いかなとは考えていた。

村辺に友人と相談した内容について話し、「取り敢えず学級委員にでも立候補してみたら？」とアドバイスしたところ、相手はすがりつくように言った。

「お願い、一緒にやって」

とっさに「嫌よ、なんであんたと」という正直な思いが表情に出たのだろう。村辺は世にも情けない顔で懇願を始めた。

「私一人が立候補したら、もう一人の学級委員が決まらなくなっちゃうのよ……私、嫌われているから。去年だって学級委員さんから『まだ役員何もやってないでしょ』って責められて、仕方なく『学級委員なら』って言ったのに、結局後から『他の方に決まりました』って言われて……だから、お願いだから……」

実のところ、陽子にも同様の経験があった。陽介新一年生の時の話である。村辺ほどじゃない（と思いたい）にしても、陽子だっていい加減、嫌われている。今年立候補したとして、同じ結果になる可能性はあった。

それにまあ、村辺なら陽子の絶対的イエスマンと化してくれるだろう。能力的なところは微妙だが、何かと反対したり反発したりしてくる人と組むよりは、いくらかマシだ。

まるきり無関係なトラブルに自ら首を突っ込むほど、陽子は酔狂でも暇でもない。自分にとっても一応メリットはあると判断し、村辺に言った。

「わかった、やってあげる。ただし、同じクラスになればの話だけどね」

なるべくなら他のクラスになればいいけど、と思いながら。

蓋を開けてみると、見事に同じ五年二組だった。しかも村辺が恐れていた通り、担任は若林先生だ。自動的に巻き込まれることが決定である。

ただ、陽子としても以前友人が言っていた、『お花ちゃん』云々《うんぬん》のことは気になっていた。えこひいきとか、ティーチャーズ・ペットだとかいう言葉は、陽子が非常に嫌悪する類のものだ。明らかに間違ったことであるならば、それは正さねばならないだろう……他の誰かがそれをやってくれれば一番良いのだが。

ともあれ保護者会の役員決めで、陽子は気合いと共にいの一番で手を挙げた。その勢いに気圧《けお》されたのか、はたまたやはり陽子が嫌われている為か、二番手が挙がる様子はない。陽子は傍らの村辺に鋭い視線を向けた。するといかにもおどおどと、村辺は中途半端に手を挙げた。

「あ、じゃあ、私もやります」

なにが「じゃあ」よ。気合いが足りん。そんなんで我が子を守れるか。

むかっ腹が立ったものの、幸い、さらに立候補する保護者はいなかった。

「それじゃあ山田さんと村辺さん、一年間、どうぞよろしくお願いします」

それまでオブザーバーに徹していた若林先生が、快活に言った。

確かに感じがいい、と陽子は思う。ごく朗らかで気さくで、そのくせなれ合ったりおもねったりするようなふうはなくて。今どきの若者にしては（なんて思考はいかにもおばさんぽいのだが）、むやみと品がいいのだ。きっと育ちがいいのだろう。

こりゃー、お母さんウケはいいよなあと、しげしげ見ているとにこりと笑顔で返された。もしかして、この笑顔にドギマギしてしまう母親も、いたりするのだろうか。

「――こちらこそ、よろしくお願いします」

そう返して陽子はにっと笑った。

まだ敵と認定するのは早すぎる。取り敢えず、経過観察といったところか。

PTA運営委員二名については、案の定難航しそうだった。ただ、五年生ともなると一度もやっていない人の方が少数派になる為、最終的にはその中からくじ引きとなった。

一抜けたの陽子にとっては、かつてないほど気楽な場面である。

こうした役員決めの場で、プレッシャーに負けて手を挙げる人の気持ちが、今さらながら理解できる思いだ。いつ終わるともしれない我慢比べみたいな状態から、さっさと抜け出して心穏やかに楽になりたいのだろう……皆からも感謝されるし、押し潰されそうな緊張からも解放されるし。もっとも引き受けた仕事によっては後々、楽どころの騒ぎじゃなくなるのだが。

ともあれ覚悟していたよりは早く、保護者会は終わった。若林先生に、気軽に話しかける母親が何人もいる。強引に割ってはいるのもどうかと思われたので、そのまま昇降口に向かった。当然のようにぴったりくっついてくる村辺に、陽子は少々邪険に言った。

「あなたもさ、人に頼ってばっかりいないで、これからはマメに学校に出入りするのよ」

聞いたところによると、三、四年生時は授業参観だの保護者会だのを欠席することが多かったらしい。子どもの頃から学校や先生に対する苦手意識が強いものだから、今でも校門をくぐるのに結構な勇気がいるのだそうだ。娘に『お母さん、行った方がいい？』と尋ねても、『別に、どっちでもいい』と気のない返事をするものだから、罪悪感を感じつつも、だんだん学校へ行く回数が減っていった。それでますます行きづらくなる。悪循環だ。

保護者会での係決めの際、村辺の背中を押してベルマーク係に手を挙げさせた。毎月一度は学校に集まり、ベルマークの集計作業を行う（もちろん陽子自身は巧妙に、係の仕事を逃れている）。これと学級委員の仕事と通常の行事とを合わせれば、結構な頻度で学校に通うことになる。親が常にうろちょろしていれば、そうそうおかしなこともできないだろう……もしそんな事実があるとして、だが。

「山田さん、このあとどうします？」

下駄箱前でおりたたみスリッパをバッグにしまっていると、ふいに村辺に聞かれた。

「子どもを連れて家に帰りますが」

さすがに保護者会が長引くかもしれないと、このあと会社に戻る予定は立てていなかった。陽介には運動場で待っているよう、伝えてある。

「もしよかったらお茶でも……」

「悪いけどそんな時間はないです。仕事も持ち帰っているので」

ぴしゃりと断ると、相手はふうっとため息をついた。

「知ってます？　他のお母さん方、仲良しグループで、行事のたんびに誘い合わせてランチとかお茶とかして、楽しくおしゃべりしているんですよ」

心底羨ましそうだ。

「ふーん、ヒマなんですね」

陽子としてはちっとも羨ましくない。いったい何をそんなに話しているんだろうと、そっちの方が不思議である。

「私も昔はそういうママ友いたのに、ボスママに睨まれちゃって……」

哀しげに言うが、その原因は百パーセント村辺にあるに決まっている。そう思いながらふと見ると、村辺が腕に下げたミニトートから、何か毛糸の房みたいなものがはみ出している。さっきまではそんな代物はなかった。ぐいとつまんで引っ張り出すと、それはブルーの子供用マフラーだった。有名スポーツメーカーのマークが入っている。

「このあったかい日に、これはなに？」

ぎろりと睨むと、村辺はあからさまにうろたえ始めた。

「あ、あ、あの、そこの落とし物箱に入ってて……」

「真理ちゃんが落とした物ってこと？」

相手はこくこくとうなずく。タグを裏返すとひらがなで「ゆうじ」と書いてあった。

――誰よ、ゆうじって。この人の、こういう底の浅いすぐバレる嘘つくところ、ほんとやだ。いや、それ以前に……。

「あんたね、また性懲《しょうこ》りもなくドロボーなんかして」

思わず声が大きくなる。

「でも、だってこれ、冬からずっと入ってたんでしょ？　きっといらないのよ。もったいないじゃない」

「だからって盗《と》っていいってことにはならないの。第一それ、真理ちゃんに使わせるつもり？　あんたがそんなだから真理ちゃんは……」

陽子がののしることを途中でやめたのは、村辺の視線の動きと顔のこわばりに気づいたからだ。

振り向くと、入り口のところに一人の女の子が立ちすくみ、表情のない顔でこちらを呆然と見つめているのだった。

かすれた声で、村辺は言った。

「……真理」

5

息子と並んで帰途につきながら、陽子の胸はキリキリと痛んでいた。

またやっちゃった……ひどいことをした。間違いなく、真理ちゃんを傷つけた……恩人の真理ちゃんを。

「――ねえ、陽介」考え考え、陽子は言った。「あのね、女の子が一人、ピンチかもしれない。そうじゃないかもしれないんだけど、もし本当にピンチなんだったら、助けなきゃいけない」

「うん、助けなきゃね」

考え深げに陽介はうなずく。

「そうだよね、陽介。だからね、お母さんを手伝って。君にしかできない、極秘任務があるんだ」

秘密めかしてそう言うと、陽介は神妙な顔になり、それから「うん」とまたうなずいた。

これで覗き穴一つ。でもまだまだ足りない。

家に戻った陽子は、クラス名簿を見て考え込んだ。学童保育の役員がらみで顔見知りになったお母さん方は数人いるが、ことは少々デリケートである。誰彼なしに頼んで回って、妙な噂が広がりでもしたら本末転倒だ。少し考えてから、まずは玉野遥の携帯電話へ連絡を入れた。やはり仕事中らしく、留守電になっている。用件は伝えず、自分の名前とまた電話する旨だけ吹き込んでおいた。彼女なら、仕事が終わったら電話をくれるだろう。

遥の次女である鈴香《りんか》ちゃんは面倒見の良い、すごくしっかりした女の子だ。遥自身は小学校の保護者の中でほとんど唯一腹を割って話のできる人物である。保護者会には来ていなかったが、五年生になって初めて同じクラスになった。僥倖《ぎょうこう》と言うべきだろう。

次いで陽子がチェックしたのは、五十嵐連音《れのん》くんの名だ。その母親はやはり保護者会には来ていなかった。あの金髪酔いどれヤンキーの姿は、運動会で数度見かけたくらいだ。学校行事はほとんどパスしているのだろう。まだ新しい緊急連絡網は出来上がっていないが、一、二年の時に同じクラスだったから電話番号はわかる。五十嵐が信用できるかどうかははなはだ疑問だが、余計な噂を広めようにもその相手がいなさそうな点では、うってつけと言えた。

電話をすると、意外にも数コールで相手は出た。こちらが名乗ると、露骨に怪訝そうな声を出された。確かに四年も前に給食費の集金係を一緒にしたというだけの関係である。陽子だって村辺のことがなければ思い出しもしなかったろう。

「それやったとしてさあ、こっちに何のメリットがあるのよ」

用件を説明するなりハスキーな声でそう言われ、そら来たぞと思った。単刀直入に交渉に入ることにする。

「五千円でどう？　お小遣いとしちゃ、悪くないでしょ？　どってことない仕事だし」

「……いつまで？」

「さあ。当分」

「あんまり長くなるようなら、追加料金もらうからね」

「相談には応じるわ」

商談は成立し、あとは簡単なやり取りで会話は終了した。真理ちゃんに対するせめてもの罪滅ぼしに、ポケットマネーを提供するつもりでいる。

三十人学級に、小さな覗き穴三つ。これが、陽子にできる精一杯だ。

やがて少しずつ、情報は集まり始めた。

「身体測定の時にね、女子のときでもフツーに中にいて記録してた」と証言したのは鈴香ちゃんである。「あとね、体育の着替えの時、教室をカーテンで半分に分けるんだけど、女子があんまり着替えが遅いと、『早くしろー』ってフツーに入ってくる。カーテンの意味ないじゃんね」

さすがに女の子の証言は詳しい上に、趣旨をよく理解していてありがたい。

「これってどうなんだろうね。五年生くらいって微妙よね。私らの頃は仕切りのカーテンさえなかったわけだけど」遥は首を傾げていた。「でも今の子は成長早いしね、もうブラしてる子もわりといるし、ダメっちゃダメなんだろうけど、女の子達もそれほど真剣に嫌がっている感じでもないらしくて。バレンタインチョコもけっこうもらってたらしいし、律儀にお返しもしていたらしいし、まあ、人気があるんでしょうね。同じことを別の先生がやったら、ものすごいブーイングされそうな気もするんだけど」

セクハラを測る物差しも、相手によって自在に伸び縮みするらしい。まさしく少女とは小さいだけの女である。

問題は、真理ちゃんに対する若林先生の態度である。

「言われてみれば、男子は全然触んない」と鈴香ちゃんは言っていた。

元々スキンシップが好きな先生らしく、頭や肩にぽんと手を置いたり、結わえた髪の毛をひょいとひっぱったりなんてことはしょっちゅうらしい。真理ちゃんも触る。他の女の子も触る。男子は触らない。真理ちゃんだけが特別多いかどうかは、微妙……というのが鈴香ちゃんの意見だ。

「ヒイキって言うか、むしろ真理ちゃんにだけ厳しいかも」とも言っていた。

習字の時、真理ちゃんだけが何度も何度も書き直しをさせられる、ということがあった。特に真理ちゃんに向けてというわけではないが、「先生は字のきれいな子が好きだ」というような発言もあったという。真理ちゃんに対しては、家庭科をもっと頑張れ、というようなことも言っていたらしい。

総じて、遥や鈴香ちゃんの言ではないが微妙、である。アウトかセーフかと言えば、セーフなのだろう。

しかしそれにしても、鈴香ちゃんは期待以上の活躍ぶりだ。対して男子二人は使えないことこの上ない。陽介に何か変わったことはなかったかと尋ねても、「うーん、わかんない」。連音くんの方は、「知らねー」と言っているそうだ。

四月末、PTA定期総会が開催された。学級委員を始めとするPTA各役員には、もちろん出席の義務がある。旧役員と新役員とで出席者はほぼ占められる。あとはよほど教育熱心で真面目な親か、よくわかっていない新一年生の親くらいのものだろう。陽子自身、五年目にして初めての参加だった。

定期総会次第に則《のっと》って、配られた議案書をひたすら読み上げるというのが、会の主な内容だった。自治会の総会もこうだったなと思いつつ、陽子は小さくあくびをかみ殺す。

最後に質疑応答の時間があった。議長に選出された母親がものすごくおざなりに「何かご質問はありますか？」と尋ねる。せっかくだからと陽子は手を挙げてみた。相手はぎょっとしたような顔をして、助けを求めるように会長を見やった。

これで三期連続会長の任に就いている上条圭子《かみじょうけいこ》会長は、落ち着いた声で「ではこちらのマイクのところにいらして下さい」と言った。傍らであぜんとしている村辺をよそに「では」と進み出る。場内にさざ波のようなささやき声が起こった。

「ＰＴＡ活動の内容についてですが、働く母親にとっては現状、負担が重すぎて参加が難しいものとなっています。将来的にでも、こうした負担を軽減していくお考えはおありでしょうか？」

陽子のいささか挑発的な質問に、場内はざわついたが、上条会長はきっぱりと答えた。

「ございません。すべて、子どもたちのために必要だからやっていることです」

「本来、ＰＴＡは強制ではなく任意ですよね。負担を物理的に担《にな》えないと思った保護者が、脱退、ないしは未加入を選択した場合、その子どもはすべての行事から外されるなどの不利益があるのですか？」

「倫理上、そうしたことがあるべきではないと考えます。ですが、給食費を払わない保護者と同じく、そうした親御さんは倫理上、責められるべきだと私は考えます」

うっひゃー、こりゃすごいわ。こんなふうに倫理を真っ向から振りかざして物を言う人、初めて見た。

今は余計な闘いをしている場合ではない。陽子はおとなしく矛を納めることにした。

「……わかりました。どうもありがとうございました」

一礼して引き下がると、議長はあからさまにほっとした顔で、「では他にご質問もないようなので……」と強引に会を閉めにかかった。またロクでもない質問が出たらかなわないと思ったのだろう。

引き続いて、第一回学級委員連絡会なるものがあった。体育館のあちこちで、各委員が集められている。仕事内容やPTA会費集金についての説明がなされた。思っていた以上に学校に集まる機会が多そうで、陽子としてはげんなりしてしまう。

「……なんであんなこと聞いたんですか？」

小声で村辺が聞いてきた。

「別に。興味があったから。あの会長さん、なかなかすごいわ」

ああいう人とは喧嘩したくないと思う。

「山田さんも充分すごいですよ」

村辺がこそこそ言うのにかぶせて、背後から「本当に」と声をかけられた。振り向くと、若林先生だった。

「総会で質問した人なんて、初めて見ました」

苦笑めいた表情を浮かべて言うので、陽子もにっこり笑ってやった。

「あら、先生はお若くていらっしゃるから」まだ三回しか出てないくせにの意を込めて、陽子は言う。「質問を許されている場で、質問しただけじゃないですか。何か問題でも？」

「何か怖いなあ……いやほんと、今の女の人はみんな強いですよね。僕ら男はタジタジですよ」

そう言って若林先生は少し嫌な笑い方をした……ように見えた。

「そうですね、今日日《きょうび》は小学生の女の子だって、強くて怖いですから。成長すればなおさらね」

陽子が人の悪い笑みを浮かべてみせると、相手の頬がピクリと動いた。

「……そんなことはないですよ。少なくとも、今のうちからしっかり教育すれば、ちゃんと優しくてたおやかで従順な女性に育ちますよ。ね、村辺さん？」

若林先生はふいに村辺に向き直り、満面に笑みを浮かべて言ったのだった。

その瞬間、陽子はぞっと鳥肌が立つのを感じた。細かな一つ一つはセーフで、せいぜいグレーゾーンな事柄も、それが山と積まれ、あるラインを越えてしまえば……。

心証的にはもう、真っ黒だった。

6

「――先月の茶話会には多数ご参加いただきましてありがとうございました。秋の学年レクリエーションも企画中ですので、ふるってご参加下さいね。では、学級委員からのご報告は以上です」

陽子はそう締め括り、軽く頭を下げた。

一学期最後の保護者会である。にこやかにそう言う陽子自身は、四年生までの学級委員主催行事なんて一度も出たことがなかった。子どもを交えてのレクリエーションはともかく、保護者同士の親睦なんて本当に必要なのかと、今でも思う。だがそれが課せられた仕事である以上、淡々とこなすまでの話だ。

「若林先生。申し訳ありませんが、ご相談したいことがありますので、このあと少しお時間いただけますか？」

散会後に申し出ると、先生はいつもの爽やかな笑みを浮かべて快諾してくれた。真っ先に陽子と村辺が張り付いたため、他の母親は先生との雑談を諦め、そそくさと帰って行った。入れ替わりに玉野遥と五十嵐が入ってきて、学級委員がらみの相談だと思っていたに違いない先生は、さすがに怪訝そうな顔をした。五十嵐など、(終了後にせよ)保護者会に現れるのはおそらく初めてのことだろう。後から入ってきた二人は、さりげなく教室の二ヵ所のドアを閉めた。それを確認し、陽子はにこやかに促す。

「どうぞおかけ下さい……長くなるかもしれませんから」

「……ご相談、というのは？」

さすがに警戒した様子で、先生は尋ねた。すると村辺がいきなり悲痛な声を上げた。

「真理のことですよ。なぜ真理だけをしょっちゅう、放課後居残りさせるんですか？」

「勉強を見てあげているんですよ」間髪をいれず、先生は答えた。「それはお母さんもご承知のことでしょう？　感謝されこそすれ、文句を言われるようなことじゃないと思うんですがねえ」

心底不本意そうである。

「なぜ真理ちゃんだけ？　うちの子も相当、出来は悪いと思うんですけどねえ」

太った体を揺すって、遥が言った。五十嵐もぼそりと「うちも」とつぶやく。若林先生はやれやれと言いたげに肩をすぼめた。

「村辺さんだけ特別扱いなのがお気に召さないんですね。理由ははっきりしていますよ。村辺さんは理解力は多少劣るかもしれませんが、やる気は人一倍あるんです。自分から、わからないところを教えて欲しいと言ってくるんです。そういう子には忙しい仕事の時間を割《さ》いてでも、教えてあげたい……そういう教師の気持ちが、おわかりにならないかなあ」

「わかりませんね」ごく冷ややかに、陽子は言った。「お気に入りの女の子を放課後一人残して、プロポーズまがいのことばっかりささやいている教師の気持ちなんて……たった十歳の女の子に！」

終いの方は吐き捨てるようになっていた。「なっ」と叫んだきり、相手は絶句している。

「何ならお聞かせしましょうか？」

陽子はＩＣレコーダーを取りだして、スイッチを入れた。明らかに若林のものとわかる声が、甘くささやいている。

『大丈夫だよ、他の人みんなに嫌われても、先生だけは真理ちゃんの味方だからね。先生が真理ちゃんをお嫁にもらってあげるから。知ってる？　女の子は十六になったら結婚できるんだよ。もうあと少しの我慢だよ……』

何度聞いても吐き気がする……陽子はそう思ったが、五十嵐はぷっと噴き出して言った。

「超ウケるー、本物のロリコンって初めて見たよ。どこの光源氏だよ」

「とんだ紫の上ね」

遥までが笑っている。

「笑い事じゃないでしょ」たまりかねて陽子は叫び、蒼白になっている若林先生に向き直った。「これは協力者たちにお願いして録音してもらったものです。先生が真理ちゃんを放課後残したときには、隠れて残ってもらうようにして」

この面子《メンツ》を見ればその協力者が誰であるかはバレバレだろうが、一応名前は伏せておく。この場は、証言者が複数いることを匂わせておけば充分だろう。掃除用具入れや、窓を開け放ったベランダに、小さな「耳」はあったのだ。

子どもたちに聞かせるには、あまりにも気色《きしょく》の悪い内容であった。ひどく気が咎《とが》めたが、遥や五十嵐の態度を見る限りは、二人の子どもに大したショックを与えているわけでもないらしい。それは陽介にしても同じことだ。

子どもは、大人が思っている以上に大人のずるいところや悪いところを見ているし、知っている。真理ちゃんがきちんと母親の盗癖について理解していたように。

陽子の思考に呼応したように、ふいに村辺が顔を覆ってわっと泣きだした。

「あんまりです、先生。私の病気のことは、私が悪いんです。それはわかってます。でも、だからって真理を泥棒にしたてるなんて。それをネタに、言いなりにさせるなんて、あんまりひどすぎるじゃないですか。おかげで真理はクラスから孤立しちゃって……それもわざとなんでしょう？　ひどいじゃないですか」

おいおいと泣く村辺に、若林先生は少し血の気が戻った顔を上げて言った。

「お母さんまで何を言ってるんですか。これは純粋な恋愛です。僕はお嬢さんが道を外れようとしたところを救ったんですよ。泥棒の親を持てば、そりゃ娘も泥棒になりますよ。それを更生させてやったって言うのに、感謝して当然じゃないですか……今はそりゃ、少し問題があるかもしれませんが、あと五、六年もすれば……」

「純粋な恋愛が聞いて呆れるわ」聞いていられなくなり、陽子は遮った。「クラスでの盗難事件は、落とし物の文房具をあなたが真理ちゃんのお道具箱に入れたんでしょ。家庭訪問のときに子ども部屋だの机まわりだのの写真を撮ったものね、そりゃ好きなキャラクターくらいわかるでしょうよ。本屋さんでの万引きに至っては、先生が真理ちゃんの持ってた紙バッグに消しゴムを落としたんじゃないですか。弱みを握ってお母さんまでいいように操ろうとしたんでしょうけど、わかっているんですか？　これはれっきとした犯罪ですよ」

若林先生は憤然として叫んだ。

「いったい何の証拠があって」

「証拠？　証拠ならありますよ。今どきの書店には大抵、防犯カメラってものがあるじゃないですか。以前村辺さんに万引きのことを相談された時にね、すぐその書店に行って映像を押さえといたんです。バッチリ写っていましたよ、先生が生徒に万引きの濡《ぬ》れ衣《ぎぬ》を着せるところがね」

「馬鹿な」若林先生は引きつった顔で、それでも笑って見せた。「一介の主婦がいきなり見せろと言ったところで、店が見せるわけないでしょう？　はったりもいい加減に……」

陽子はニヤリと笑って名刺をすっと差し出した。

「私、編集の仕事をしていますんで。おわかりでしょう？　出版社と書店さんとは、切っても切れないご縁があります。うちの本も山ほど置いていただいていますしね。先生もご存じない、色んなルートがあるんですよ。あ、ついでに申し上げれば、マスコミ業界、けっこう横の繋がりがありまして、ね。新聞社やテレビ局なんかにも知人はいます。まあ、一番簡単なのは、うちの週刊誌の担当者に、いいネタがあるよってメールすることなんですけどね。同期なんですけど、腐った官僚だの公務員だののネタが大好きなんですよねー」

それはごくごくわかりやすい、脅迫であり恫喝《どうかつ》だった。

7

一時間後、四人は近くのファミレスで、健闘を称《たた》え合いつつお茶を飲んでいた。子どもたちは鍵を渡して先に家に帰してある。そんなことができるくらい、大きくなったものだと陽子は感慨深い。

「――いやー、まさかあんなに泣いちゃうとはね。そんなに苛めたつもりはないんだけどさ」

遥が肩を揺すってころころ笑った。

「いや、フツーに怖いおばさん三人組だし」

にやっと笑って五十嵐が言う。

「あ、自分だけはおばさんから外れようとしたって、そうはいかないからね。小五の子どもがいる時点で、逃げも隠れもできない立派なおばさんでしょうが」

遥の言に、五十嵐は舌を出してそっぽを向く。

「まあ、本気で大人の女性が苦手なんでしょうね。何はともあれ、悪行を認めさせた上で、二度と真理ちゃんには近づかないって念書も書かせたし、一部始終の録音もできたし、証拠はばっちりだわ。さすがにもう、手も足も出ないでしょ」

陽子が満足げに微笑み、遥が不思議そうに聞いた。

「ずいぶんな念の入れようだけど、証拠なんて防犯カメラのビデオで一発でしょ」

「ああ、その話はハッタリ。そこだけは先生の言ったとおりよ。内緒だけどね」事も無げに陽子が言うと、皆は呆れたように目を丸くした。「真理ちゃんと話してね、あの子が泣きながら言った『絶対やっていない』って言葉を私は信じたの。だったら疑うべきは、二度ともその場にいた先生の方でしょ？」

遥はため息をつくように言った。

「山田さんを敵視する連中に言ってやりたいわ。とてもじゃないけど、あんたらの手に負えるタマじゃないってさ」

「それはどうも」

「誉めてないって」

「しっかしキモい先生だよね。小三の頃から目ーつけるなんてさ、とんでもねー」

五十嵐の言葉に、陽子は友人が言ったことを思い出した。『花』という言葉の意味について教えてくれた人である。彼女には、今日の決行を前にして、電話で報告をしてあった。

『思うんだけど、真理ちゃんに「キモい」って言われたことがきっかけだったんじゃないかしら。完璧に隠しているつもりの自分の邪《よこしま》な気持ちを、ほんの八つか九つの女の子に見抜かれた……それは先生にとって、恐怖だったはずよ。その恐怖感を無くすためには、女の子の気持ちを百八十度変える必要がある……無理やりコントロールしてでも。そんなところじゃないかな。その過程で、問題児を更生させる自分に酔っちゃった感じ。とんでもないマッチポンプよね』

彼女はそう言い、あくまで想像だけど、とつけ加えていた。

まったく人の心とは、実にやっかいで複雑怪奇だ。村辺の悪癖にしたところで、おそらく何か原因はあるのだろう。とすればまた別なきっかけでもあれば、立ち直ることもあるのだろうか。

「村辺さん、みんなに言うことがあるでしょ」

そう水を向けると、村辺は顔を真っ赤にし、眼を潤ませて言った。

「どうも……ありがとう。ほんとに、なんてお礼を言ったらいいか。これからちゃんと、真理と向き合うって約束します。みんなに助けてもらったこと、忘れません。お子さん方にも、ほんとにありがとうって、伝えて……」

言っているうちに感極まったのか、ぽろぽろと涙をこぼし始めた。

「いーよー別に。ここ、奢ってくれりゃ」

謝礼金をしっかり陽子から受け取っている五十嵐は、さばさばしたふうで笑った。村辺はこくこくとうなずき、最後に「みんなとお茶できて、嬉しかった」とつぶやいた。

そう言えばこの人、ママ友とお茶したがっていたなと思い出す。この面子、とてもママ友と呼べるような代物じゃないと思うのだが。

じゃあそろそろ帰りましょうと皆で立ちかけたとき、村辺以外の三人が、一斉に「ちょっと」と突っ込みを入れた。

テーブルの上のスティックシュガーを鷲《わし》づかみにした村辺が、今まさにそれをハンドバッグに押し込もうとしているのだった。

ああもう、ほんとこの人嫌だ。

あと八ヵ月あまりも、この手癖の悪い困った人と委員を務めるかと思うと、つくづくうんざりする陽子であった。

第7章

会長様は敵である

1

「――ダメですね、再提出して下さい」

あまりと言えばあまりに冷淡で素っ気ない言い種だった。

とっさにカチンときた陽子であったが、長く仕事をしていれば、とんでもない非常識人間だの失礼極まりない男尊女卑オヤジだのにも、それなりに出くわす。それが仕事で必要ならば、笑顔でかわすくらいは何でもない。この程度なら、顔色一つ変えないでいることくらい、簡単だった。

「……ですが会長、これで三度目ですよ。今ここで直しますから、具体的にどこがどういけないのか、おっしゃって下さい。時間の無駄ですから」

お終いの一言は、本音そのものだった。

上条圭子PTA会長と、五年二組学級委員たる山田陽子との間には、一枚の用紙がぴらりと横たわっている。秋の学年レクリエーション活動の予算申請書である。学級委員に課せられた仕事に、春の茶話会と秋のレクリエーションの催しを行うというのがあり、

ＰＴＡから予算も割り振られている。保護者間の親睦が図れれば別に茶話会でなくとも良いし、レクリエーションだって別に学年全体でなくともクラス単位で行ってもかまわない。ついでに開催時期だって一応は学級委員の裁量に任されている。だが、毎年判で押したように春には茶話会、秋には似たような内容の学年レクが開催されるのは、結局それが一番無難だからだ。学年でまとめてしまえば予算も人手も増える。そんな合理的な理由とは別に、例年と同じにしておけば、他の保護者からの文句が出にくいという事実がある（それでも何やかやと言ってくる者は必ずいるのだが）。

割り振られた予算だって、「使わない」という選択だって実はアリなのだ。事実、何年か前にお金をまったくかけずにミニ運動会を行った学年があった。結構なことじゃないと陽子などは思うのだが、当時の主催者達はずいぶん非難されたらしい。曰く、「他の学年はお金をかけて行事をしているのに、うちの学年だけゼロなんて不公平」なんだとか。それも面と向かっての苦情ではなく、こそこそこそこそ陰口が回り回って当人達のところにたどり着く。うんざりするような話である。

この、女にありがちな「私の気持ちを察して欲しい」、「言わなくってもわかるでしょ」みたいな気質が、陽子は大嫌いだ（ついでにいえば、何かと「不公平」だとか「不平等」だとか言い出す輩《やから》も。もっともらしいことを言って、その実自分がわずかな損もしたくないだけってことが大半だ）。大多数の〈暗黙の了解〉通りに動けないクラスメイトを、〈空気が読めない〉と切り捨てて白眼視する子どもたちと、何ひとつ変わらない。

エスパーじゃないんだから、言葉にしてくれなきゃわかるわけないでしょう、文句があったら面と向かってかかってこいやーと、女集団の中で過去何度となく叫び出したくなった陽子は、多分に男性的である。その自覚があるだけに、とりわけこのPTAという集まりには、ほとほと気疲れするのであった。

とにかく打ち合わせと称して集まっても、誰も積極的に意見を言わないのだ。誰かが場を動かしてくれることを、ただひたすら待っている。

わかっていた。皆、口火を切って責任者になってしまうのが怖いのだ。何かまずいことが起きた場合、また、後で文句を言われるようなことになった場合、自分だけは安全な場所にいたいから。

陽子にだってその気持ちはよくわかる。ボランティアでやりたくもない仕事をやらされた挙げ句、誰からも感謝されないどころか、非難の矢面に立たされるかもしれない……そんな事態はそりゃ、できれば全力で回避したい。

しかし陽子にとって、そんな危惧よりは、時間が何より貴重で惜しいという思いの方が強かった。このままだらだらと何時間も無為な時を過ごすなど、耐え難い苦痛だった。

仕方なく、陽子はいくつかの案を出し、それぞれの利点、注意点などについて述べた。

事前に子持ちの知人にリサーチしたり、ざっとインターネットで拾ったりした情報である。打ち合わせや会議に臨む前の最低限の行動だと陽子は思っている。

この場合、肝心なのはプランを複数用意することだ。それを提示した上で「どれがいい？」と選ばせる。後で「独断専行」などという誹《そし》りを受けないための、大切な布石である。もちろん陽子自身、内心でこれと決めた案があるのだが、それは決して口には出さず「この案が役員は一番ラクかもですねー」などという軽口で誘導するにとどめる。あくまでも「皆で選んだ」という事実が必要なのだ。このあたりは、長く会社員を経験してきた陽子にとっては雑作もないことだった。

企画を一本にしぼった後、厄介だったのが予算申請書の作成だった。レクリエーションの開催予定日は秋で、早々に体育館も押さえておいたのだが、申請書の提出期限は夏休み前である。実施がまだまだ現実味を帯びないうちから、企画立案、予算立てまで行わねばならない。これを、「子どもが同じ小学校」という共通点しかない烏合の衆でまとめ上げるのは、至難の業である。

自治会の時にも感じたことだが、ボランティア集団による事務作業は、とことん非効率的である。

陽子は会長として、他の自治会の各担当者と連絡をつけなければならない事態も多かったのだが、何しろ高齢の方が多く、たかだか集会所を予約するだけのことが、電話一本では済まなかったりする。まず担当者が高齢で耳が遠く、「わかりました」と言われたがあまりにも心許ない。後で確認の電話をかけてみると案の定、予約が完了していない。このときは結局、休日に相手の家まで突撃し、自ら予約カレンダーに記入して事なきを得た。ローテクとかアナログとかいうはるか以前の問題である。

PTAの集まりで痛感したのは、個々人の事務能力にとんでもない開きがあることだ。仕方のないことだが、長く専業主婦をやっている人の多くは、簡単な文書作成ができない。雑談はできても、仕事の打ち合わせはできない。おそらくやってやれないことはないのだろうが、慣れていない為に多大な労力がいるのだろう。そもそも自信がないから、人にやってもらいたがる。

問題の申請書も、机の上にひらりと置かれたきり、誰も手を出そうとしないから、仕方なく陽子が記入を始めた。最初に「レクリエーションの目的」なる欄があったので、ものすごく適当に「親子で共に楽しむことで、さらなる信頼関係を築き上げること。また、保護者同士の親交を深めることにより、何か問題が生じたときにも迅速《じんそく》かつ円満な解決が期待できるものである」などとさらさらと書き込むと、周囲から「すごい」と感心したような、半ば呆れたような声が上がった。陽子自身は、たかだか数時間のレクリエーションでそんなたいそうなことができるとは、かけらも思っていない。求められている（であろう）文章を、息をするように書けないようでは、編集者なんてやっていられないのだ。

そこまでは簡単だったが、メインである予算案が難物だった。行事に何が必要でいくらかかるかなんてことは、もう少し話を詰めていかないとわからないことが多すぎる。いきおい、予算の上限を元に、これにだいたいこれくらい、こっちにいくらと、予想に基づいた数字を挙げていくのが精一杯となる。もっともらしく項目を掲げてはいるものの、どんぶり勘定もいいところだ。たかだかPTAの学年行事、そこまで細かく突っ込まれたりはしないだろうとの姑息な計算がある。正直、強制ボランティアでそこまで労力はかけていられないというのが本音だ。

最初は村辺に提出に行ってもらったのだが、会計担当から即座に突き返されてしまった。村辺に聞いても、どこが悪いのかよくわからないと言う。埒があかないので、別な委員に「申し訳ないけど、会計さんに直接どこがいけないのか聞いて、その場で訂正して再提出してもらえないかしら」と頼み込み、学校へ行ってもらった。だが、再提出は叶わなかった。

『これとこれとこれを削れば通してもいいですよ』と会計担当の女性は言ったそうだ。それをそのまま呑めば、予算は当初の三分の一程度になる。

『……私の一存では提出できなくて……』

行ってくれた沢《さわ》さんは（とてもいい人なので、陽子の中では常にさん付けだ）申し訳なさそうだったが、それはもっともな話である。

　申請書作成者としては、もはや自分で出向くしかない。げんなりしつつ何とか時間を作り、小学校のPTA室に向かった。その時間、会計担当者が在室していることは確認を取ってある。行ってみると、会長他、執行部のメンバーがほぼ揃っていた。

　そして申請書を再提出するなり、上条会長に駄目出しを喰らったのである。

「——どこがいけないと言うよりも」眼鏡のつるに手を掛けてから、会長は言った。

「むしろこちらからお尋ねしたいですね。この合計金額の根拠を」

　とっさのことに返事ができずにいると、畳みかけるように会長は続けた。

「これ、全体の活動予算をほぼ六等分した金額ですよね。つまり一学年につきこれくらいと単純に決めてかかって、あとの項目はそこから逆算して割り振った……違いますか？」

　図星だったために、さらに返事ができない。痛いところを突かれた形だ。

「困るんですよね、こういう、いい加減な予算の決め方をされては。活動予算をあらかじめクラス毎に設けていないのは、もっと柔軟な、生きたお金の使い方をしてもらいたいからです。たとえば他の学年で、素晴らしい企画を出されたところがあります……が、残念ながら少々予算がかかりすぎます。あなた方の熱意がその程度なのでしたら、他の、よりやる気のある学年に融通するというのが、あるべき形だとは思いませんか？」

傍らで、会計担当者が首振り人形みたいにうなずいている。内心で、深いため息が漏れた。

勝ちか負けかで言うならば、紛れもなく完敗である。仕事上でだって、ここまでこてんぱんにやっつけられたことは近年では覚えがないくらいだ。

「……わかりました。でしたら参考までに、他学年の申請書をコピーさせていただけないでしょうか」

「P室のコピー機はそういう私用目的では使えません。申請書の持ち出しもできません。ここでご覧になるだけなら、どうぞ」

舌打ちをこらえて、陽子は必要な箇所を手帳に写し取りにかかった。

「上条さん、私たち、お昼買ってきますね」

執行部の役員が、立ち上がった。

「上条さんも何か食べます？」

会計担当者に言われ、会長は首を振った。

「ありがとう、おにぎり作ってきたから大丈夫」

ぞろぞろと他の連中が出て行き、ＰＴＡ室には会長と陽子が二人残された。

何となく気まずい空気が流れる。

「……若林先生のこと、お聞きになっています？」ふいに声をかけられ、陽子は手帳から顔を上げた。相手は探るような視線をこちらに向けている。「しばらく休職されるそうですよ……ご病気の療養の為に」

「初耳です」

やや用心しつつ、陽子は短く答えた。

「あなた方が起こした騒動のことは、校長先生から伺いました。ずいぶん、ことを大きくされたものですね。あのような形で先生を追い込んだ上、校長先生にまでご注進に及べばどうなるか、当然わかってらしたでしょう？」

はっきりと、陽子を責める口調である。陽子は受けて立つわと相手に向き直った。

「校長先生は、問題の子が万引きをしたと信じ込まされていましたから。子どもの名誉回復の為には、やむを得ない措置だったと思いますけど？」

騒動の後、陽子達は相談の上、校長先生にも真実を伝えることにしたのだ。その結果については、若林先生の自業自得以外の何物でもないと陽子は思う。

陽子の言葉に会長は肩をすぼめた。

「先生を敬えない親の子は、学校から何も学び取ることができなくなります。今はそういう可哀想な子が、増えていますね」

一般論のように言っているが、目が真っ直ぐにこちらを見据えている。なんのことはない、個人攻撃である。

「一部に、敬うどころじゃない悪質な教師が存在するのは確かなことですよね。ロリコン教師からセクハラされる子どもの方がずっと可哀想だと思いますが。私たちのしたことは、そりゃ多少は過激だったかもしれませんが、それで後ろ指をさされる覚えはありませんね。ああするより他に、どうしようもなかったわけですし」

強い口調で返したが、会長は顔色一つ変えず、低い声を立てて笑った。

「どうしようもなかったのは、子育てに手抜きをなさっているからじゃありません？　聞けば当の親御さんは、かなり問題のある方だとか。もし、まっとうな親御さんの子でしたら、そもそもそんな被害には遭わなかったでしょうね。まさに親の因果が子に報いてしまったわけですよ。だから可哀想だと言っているんです。むしろ先生もその被害者と言うべきじゃないかしら。私は毎日のようにこうして教育の現場に出入りしています。それでつくづく実感するんですけど、忙しいと称してほとんど学校に来ようとしないお母さん方のお子さんに、ほぼあらゆる問題が集中しているんですよ。ほんとうに、母親から手を掛けてもらえずにいるお子さんは可哀想だと思います」

さすがにカチンときた。

「この不況下では、母親が働かざるを得ないご家庭も多いと思いますが？　旦那さんがご病気だったり、亡くなられたり、最初からおられないケースについてはどう思われますか？」

「でも、あなたは違いますよね？」薄く笑って会長は言った。「あなたが仕事を辞めたら、ご一家は飢え死になさるんですか？　違いますよね。あなたはPTA活動を時間の無駄だとおっしゃる。ですが、あなたがガツガツ働いてご自分のお金を稼いでいる同じ時間に、私たちはこうして手弁当で子どもたちのために働いています……もちろん、無償で。子どもたちのことを思えばこそ、ね……ああでも、聞いた話じゃ、本当のお子さんじゃないんですよね。それじゃ、子どもに全力で向き合えなくても、無理はないかもしれませんね」

会長がすべて言い終える前に、陽子はスチール椅子を倒しかねない勢いで立ち上がり、相手をにらみ据えた。そして叩きつけるように借りていた書類を机に置き、踵を返した。あまりにも不愉快で、もう一秒だってこの場にいたくなかった。

憤怒のあまり、何ひとつ言葉が出てこないなんて経験は、かつて覚えのないことだった。後ろ手でドアを閉めながら、陽子は強く思った。

——こいつは敵だ。間違いなく、私の敵なのだ、と。

2

カツカツとヒールを鳴らしながら歩くうち、ほんの少し頭が冷えてきた。

なぜ会長はあんなふうに、突然攻撃をしかけてきたのだろう？

先の騒動とは別に、思い当たることがある。春のＰＴＡ定期総会で不遜な質問を仕掛けた陽子に、会長は大鉈《おおなた》で両断するような返答を寄越した。あのやり取りで、目をつけられたとしか思えない。その証拠に、さきほど見せてもらった他学年の申請書には、陽子が提出したもの以上に突っ込み所が満載のものが多かった。今回の再三にわたる申請書却下も、記述責任者欄に陽子の名を見つけてのものである可能性が高い。まさに出る杭が打たれたわけだ。

——雉《きじ》も鳴かずば撃たれまいってね……。

自嘲的に、そう思う。

上条会長が撃った弾丸は、見事陽子の急所に命中していた。

誰にも言われたくなかったことを、一番言われたくなかったことを言われた。

なぜ彼女がそんなことを知っていたか。

一瞬そう思ったが、特に不思議はないことに気づく。義母は地元に長く住んでいるのだ。そして人の口に戸は立てられない。

「あそこのお宅、お嫁さんが赤ちゃん産んですぐ亡くなられたんですって。お気の毒にねえ……」

そんな噂が、当時どれほど駆け巡ったことか。人は悲劇的な話が大好きだ——男と女がくっついたの離れたの、という噂の次くらいには。

その後すぐに、別な噂が追加されたことだろう。人気ナンバーワンのトピックが。

「あそこの息子さん、ほら、お嫁さんがお産で亡くなってロクに経ってないってのに、もう別な人と結婚したらしいわよ……」云々。

無関係の人にとってみれば、それはさぞ楽しい、滅多にないような話題であったろう。噂の怖いところは、たとえ十年経とうがどこか奥深くで燻《くすぶ》り続け、何かのきっかけでまたぽっと火がついてしまうことだ。

信望厚いPTA会長には、校長先生もごくごく内密の話を漏らしてしまう。他の先生だってご同様だろうし、保護者達は相談という形で様々な事柄を彼女の耳に入れるだろう。ほっといても、ありとあらゆるルートから、情報は集まってくるに違いなかった。

情報とは、力である。

働く母親として、井戸端会議に興じるお母さん達を見かけて、なんと暇なと正直小馬鹿にすることがある。だがその際、一抹の不安がよぎるのは、そこで飛び交っている膨大な情報のなかに、ときおり貴重なものがあると感じるからだ。ごみクズの山に埋もれているが故に、決して陽子には届かない情報が。

上条会長は、そうした情報を確実に拾い上げ、使いどころを過《あやま》たず武器にできる人間なのだろう。

敵に回してはいけない人だったと、今さらながらに思う。自分一人のことなら、何の問題もなかった。何を言われようがされようが、自業自得である。

だが万が一、火の粉が息子の陽介にまで飛んでいったら？

そう思い当たり、陽子は一気に冷静になった。

なぜ自分はいつも、こうなんだろう。いい加減、穏当な生き方ってやつができないものかしら……なんて嘆いても今さらだ。

考え込みながら歩いていると、向こうから自然のものではない金髪をなびかせて歩いてくる女と目が合った。思わず視線を外し、そのまま行き過ぎようとしたらぐいと腕をつかまれた。

「ちょっと、シカトしないでよ」

息子と同じクラスの五十嵐連音くんの母親である。儀礼としての笑みも省略し、陽子は言った。

「あらこんにちは偶然ね」

「すごい白々しい言い方。なんかしけた顔してない？」

五十嵐はむしろおかしそうだ。

「いや今ね、ＰＴＡ会長と闘って、こてんぱんにのされてきたとこだから」

「うっわ、山田さんが負けるとか、相手どんだけバケモノよ。つーかどんな人だっけ？」

「運動会とかで挨拶してるでしょ」

「聞いてないし」

「PTA総会出たことない？」

「興味ないし」

どうやら役員義務を未だ果たしていないらしい。こっちは目が回るほど忙しい合間を縫って、それこそ死ぬ思いでやってるってのにと、無性に腹が立った。

「来年、役員やってみたら？　親の因果が子に報い、とか真顔で言っちゃう会長よ。思う存分いたぶられるといいわ」

「いや、私、そういうシュミないし。それよかさ、いいとこで会ったよ。ちょっと頼みたいことがあるんだけど。良かったらお昼いっしょにどう？」

「何で私があなたと」

「もうお昼じゃん。どうせどこかで食べるんなら、今食べたって一緒でしょ。そこで五百円ランチ奢るからさ」

五十嵐が指差したのは、街角の小さな喫茶店だ。店先のボードに、数種類のランチセット名が書き込まれていた。どれもコーヒー付きである。食事はしたことがないが、そこはコーヒーの美味しい店で、ちょうど今、カフェインを摂取したくなっていたところだ。その上、陽子は空腹だった。

でなければ、五十嵐の唐突な提案に乗ったりはしなかったろう。子どもを通しての関わりしかない人と、ランチを共にするのは考えてみれば初めてのことだ。

店に入って席に着くなり五十嵐は言った。

「あのさ、履歴書の書き方教えてよ」

「なに、職探ししてるの?」

「超ハロワ行ってるよ……でさ、これこれ。一応、自分でも書いてみたんだけど、高校ってさ、中退でも一応入学までは書いた方がいいんだよね? 中卒って書くよりはマシだよね?」

「さあ、どんな高校かにもよるだろうけど……」

人事担当でもなし、そんなの知らないよと思いつつ陽子は生返事をする。そしてふと五十嵐が机に置いた履歴書の一文が目に止まった。

「あら、高校は私の後輩だったのね」

進学校として割合名の知れた公立校である。

「あー、私、中学まではお勉強できたんだよね。高校入ってもそう悪くなかったんだけど、二年の夏休みにたまたま友達に誘われて見に行った小劇団のお芝居でさ、スカウトされちゃったのよ。別な劇団の主宰者でさ、次の作品のヒロインにイメージぴったりだとかで……金髪美少女の役。笑えるでしょ？」

「よく引き受けたわね。それまで演技経験とかなかったんでしょ」

五十嵐はきまり悪そうにニヤッと笑った。

「その主宰者がさ、すっごい格好良かったのよ。で、ついふらふらっと……で、その年の暮れにはもう連音がお腹にいて、高校は中退っと。で、男にも逃げられました、と。絵に描いたような転落人生でしょ」

そんなことないよ、とは言えなかったので真顔でうなずいた。

「ほんとにね」

「うちの親も堅い方だったから、ほぼ勘当状態でさ、今じゃ会うくらいは会ってるけど、頼れないし頼る気もないし……まあ、そんな昔話はどうでもいいのよ。山田さん、マスコミ関係に知り合いいるって言ってたよね。たとえばの話さ、映画とかドラマとかに出るような俳優の、さ……本人じゃなく親でもさ、素行関係に問題があるってのは、やっぱスキャンダルとかになっちゃうもん？」

「それはつまり、連音くんに芸能界デビューの話があるってこと？」

間髪をいれずに尋ねると、相手はひゅっと口を鳴らした。

「さっすが理解が速いね」

「だって素行に問題ある親って言ったらさ」

ついつい嫌味っぽい言い方になってしまうが、五十嵐は気に留めた素振りも見せなかった。

「いやーまだね、そんな本格的な話じゃないのよ。一応事務所に所属して、片っ端からオーディションを受けてるところ。まだまだ、なんだけどね」

はにかむようにうつむく様子は、何だかかつてなく可愛らしかった。親子だけあって、連音くんともよく似ている。かなり美形の親子である。そう言えば、と思い出した。

「連音くん、学習発表会で演技も歌もすごく上手かったもんね。確かに、才能あると思うなあ」

昨年の秋の学習発表会は学年毎の演劇で、四年生の演目はミュージカル仕立ての『ないたあかおに』だった。その主役の一人を演じたのが連音くんである。その容姿込みで、明らかに一人抜きん出ていて感心した覚えがある。ちなみに陽介の役柄は、「村人その十四」だった。

「ほんとにそう思う？　ほんとに？」

おずおずと、しかし期待を込めてそう尋ねてくる様を見てみると、我が子が心底可愛いのだなあということが嫌でも見て取れる。子どもに何か素質の片鱗《へんりん》でも見つけたら、それを伸ばしてやりたいという気持ちも。

「私さあ、短い間だったけど、お芝居してるとき楽しかったのよ」金色に染めた長い髪をいじりながら、五十嵐は言った。「未だにこんなふうに染めてるのは、まあ、未練かもね……だから、連音がお芝居したいって言い出したとき、すごく嬉しかったの。そんで、私が連音の夢の邪魔になっちゃいけないって、思ったんだよね」

「心配はわかったけど、デビューしたわけでもないのに気が早すぎじゃない？　ま、まっとうに働く気になったのはいいことだけど」

「でもね、子役を使うとき、スポンサーは親がらみのトラブルをすっごい嫌うんだってよ。事務所でさー、連音のライバルっぽい子がいて、その母親がやたらとそういうこと言ってくるんだよね。自分の息子をテレビに出したくて必死なの。そいつ、性格最悪でさ。何か調査会社使って私のことを調べたらしくてさー。そこまでやるって感じ。悔しいからまっとうな会社員ってやつになってやろうじゃんって思ったんだけどさ、なかなか道は険しいわ」

「……誰にでも、どこにでも敵はいるものね」

「あー、いるいる。昔、小劇団に入っていきなりヒロインやっちゃったときも、周りの女優どものやっかみがすごかったよ。隙《すき》あらば引きずり落としてやろうって魂胆《こんたん》がミエミエでさ」

　ひょいと肩をすぼめる五十嵐を見て、陽子は少しお節介を焼く気になった。

「本気で会社員目指してるんなら、取り敢えず髪の色を戻したら？　履歴書の写真だけではねられたら馬鹿馬鹿しいでしょ……あなた、美人なんだし。それと、子どもの髪まで染めるのは止めなよ。近い将来、ハゲたらどうすんの。芸能人目指すんなら、致命的でしょ、それ」

「え、ハゲんの？　ほんと？」

相手はショックを受けたように目を見開く。

「さあ、幼児期から染め続けた結果、二十年、三十年先にどうなったかなんて臨床例はまだ多くないでしょうけど。でも、抵抗力の弱い子どもに化学物質を塗り続けるのが、体にいいこととは私は思わない。大きな御世話かもしれないけど」

少し考えてから、五十嵐はうなずいた。

「わかった、もうやめる。連音がさ、お母さんみたいに格好良くしたいって言うもんだから、考えなしにやってた。ありがとね」

てっきり反発されるものと踏んでいたから、素直すぎる反応にかえってびっくりした。

「若林先生、休職するらしいわよ……病気だってさ」

「あーそりゃ、朗報」

といった会話を交わしつつ、陽子は五十嵐のために非の打ち所のない履歴書見本を作成してやり、食事も美味しくいただき、それなりに和気藹々《わきあいあい》とランチタイムは過ぎた。

ママ友なんて必要ないし、ママ友ランチ会なんて時間の無駄以外の何物でもないわと、どこか小馬鹿にしていた陽子である。五十嵐は断じてママ友なんかではないし、ランチ会なんて洒落たものでもなかったけれど、先ほどPTA会長との闘いで負った手傷が、少し癒えた気がするのは自分でも奇妙だった。

自分は完璧な母親なんてものからはほど遠い。そんなことはわかっている。上条会長から見れば、この五十嵐や村辺と十把《じっぱ》一絡《ひとから》げに、〈ダメ母〉のカテゴリに入れられるのだろう。断じて許し難い人種なのだろう。

だが、一寸の虫にも五分の魂ならぬ、ダメ母共にも我が子への愛はある。誰が何と言おうと、あふれんばかりの愛があるのだ。

食事を終えて、律儀に伝票を取ろうとする五十嵐に、陽子は財布を取り出して自分の分の小銭を差し出した。

「貸し借りナシでいこう」

「次があるかもしれないし？」

気軽に受け取りながらいたずらっぽく言う五十嵐に、陽子は真顔で返す。

「ないかもしれないけど」

「ふーん、じゃ、またね。どうもありがと」

五十嵐はひらひらと手を振り、レジへ向かった。

「……こちらこそ」と返した声は、相手に届いたかどうかはわからない。

3

五十嵐との会話で、一つ思いついたことがあった。思い立ったら即動くのが陽子である。早速電車の待ち時間に、知人にメールを入れてみた。忙しい人間だからすぐに返信はこないと思っていたが、ほどなく直接電話があった。短いやり取りの後、やってきた電車に乗る。午後には打ち合わせが一件と、会議が、そして夜には会食が入っていた。

上司が「急ぎの仕事は忙しいヤツにやらせるべし」と言いながら陽子に仕事を回してくることがある。確かに、チャンバラよろしく目の前の仕事をばったばったとなぎ倒していかなければ、とても母親業との両立なんてできやしない。早く、そして正確に。明日で間に合うことであっても、できれば今日中に。だって明日には子どもが熱を出すかもしれないから。スケジュール通りにいかないのが子育てだ。

仕事の合間に、ＰＴＡの他学年役員に電話を入れる。番号は申請書に書いてあった。幸い、すぐに連絡が取れて、用向きを伝えると、相手は非常に乗り気だった。「私一人で決められることじゃないから」と返事はいったん保留になったが、この感触ならおそらく大丈夫だろう。ならば、次の攻略対象はもう決まっている。

仕事の合間合間に少しずつ駒を進めるうち、陽子はだんだん楽しくなってきた。義務でやらされているボランティアと思うから苦痛なのであって、戦術シミュレーションゲームをやっているのだと考えれば（やや無理やりではあったが）やり甲斐みたいなものを感じることもできる。自ら前面に出る覚悟さえあれば、人は結構ついてくるものだ。特に役員仲間の主婦達は、〈自らは前に出ず、責任も取らず、誰かについていきたい〉指向の強い人が大半だ。それは言葉を変えれば、事細かに指示さえ与えておけば、思いどおりに動く駒となってくれるということ。

もちろん、こうしたやり方が独断専行の謗りを招きかねないことは承知である。だから話の持っていき方には極力、気をつけた。

「ねえ、こういう話があるんだけど……どう思う？」

「こういうふうにしたら、子どもたち、喜んでくれると思う？」

などなどと、「相手の意見を尊重する」姿勢を見せるのだ。

ただ今回の場合、多くの人にとって興味深いと思われる餌を用意しているので、実際のところ、そこまで慎重になる必要はなかったかもしれない。パンくずをまいた途端に集まってくる鳩のごとく、皆が皆、わっとばかりに話に食いついてきたのだった。

とは言え、道のりは決して楽なものではなかった。会ったこともない、どんな生活をしているのかも知らない多数の関係者に連絡を取り、説明し、意見を取りまとめるだけでも大仕事である。本来、仕事と家のことと子どものこと、この三つで一杯一杯の生活である。そこに四つ目の仕事をねじ込むには、多くのことを諦める必要があった。湯船にゆっくり浸かる時間を減らすとか、DVDに録画しておいたドラマ視聴をやめるとか、ランチの後のコーヒーは頼まず、さっさと切り上げるとか、他にもたくさんのことを。そうしたささやかな憩いの時間が消滅するのはさすがに辛いものがあったけれど、今が闘いの時と諦めるより他になかった。

そうして、いかにも満を持す形で陽子は再度PTA室に乗り込んでいった。

会長はその日もP室にいて、陽子を見るとうっすらと微笑んだ。戦闘開始である。

「――先日ご指導いただきましたことを勘案いたしまして、予算申請書を再提出に参りました。お忙しいところ申し訳ありませんが、お時間ちょうだいできますでしょうか」

堅苦しく馬鹿丁寧な口上は、もちろん嫌味である。

申請書に目を通した途端、上条会長は眉を上げた。

「もちろん、判を押していただけますよね？」

陽子はにっこりと微笑んだ。

他学年の申請書を見て、会長が絶賛していた企画が四年生のものであることはすぐにわかった。そこで陽子は思いきって、それまでの企画を全面的に練り直すことにした。五年生役員に相談の上、四年生の役員に「こちらとの合同レクリエーションにしませんか？」と持ちかけたのだ。

ありていに言えば、四年生の企画を完全に乗っ取ったのである。

二学年合同での大規模レクは過去に例のないことではあったが、むろん禁止事項ではない。四年生側にしても、予算がかかりすぎるという問題が、五年生が加わることで穏当に解決できるという利点がある。さらに陽子は、レクが大いに盛り上がる〈美味しい話〉も用意した。

会長はやや渋い顔をしつつ、つけつけした口調で言った。

「こんな、人様の努力やアイデアの上に乗っかるようなこと……きっと四年生の役員さんや保護者の方々は、不満に思われますよ」

「その点は、ご心配いただかなくても大丈夫です。連絡網で四年生全部の保護者の方に伝えてあります。反対意見のある方は、この日この時間にPTA室に来て下さいってね……誰一人、お見えになってないみたいですね」

当たり前だ。子育て世代は忙しい。たかだか数時間のレクリエーションごときで、そんな面倒臭いアクションを起こそうなんて人は滅多にいない。必ず出てくる〈後から文句を言う人〉を封じるための作戦だ。

「ついでに五年生にも同じ内容で連絡を回しましたが……皆さん賛成して下さっているようですよ。あ、これが特記事項です。申請書に添付して提出させて下さいね」

わざと後から提出した用紙を見て、会長はぽかんと口を開けた。

「こ、こんなこと、学校側の許可がないと……」

「校長先生の許可は頂いています……むしろお喜びでしたよ？」

にんまり笑って陽子は相手の言葉を遮った。将を射んと欲すればまず馬を射よ、である。もっともこの場合、どっちが将だか馬だか微妙だが。いずれにしても、あの若林先生ですら庇うような発言をする会長のことだ。校長先生の決定を覆《くつがえ》すことなんて、絶対にできないだろう。

案の定、会長は薄い唇を引き結びながら、無言で申請書に会長印を押したのだった。

そして夏休みも明けた九月末。

体育館や校庭をフルに使った「巨大理科実験教室」レクは開催されたのであった。

黒いゴミ袋を貼り合わせて作った巨大バルーンに熱した空気を送り込んで飛ばす、〈気球実験〉。衣装ケースに片栗粉と水を混ぜたものを満たした、〈歩ける液体〉。巨大シャボン玉に、巨大紙飛行機、段ボール箱とドライアイスを用いた〈気体の大砲〉……等々。どれもこれも、テレビなどで見かけて大人でもちょっとやってみたいと思わせるような、魅力的な実験である。ただし今回は親まで体験する余裕はないので、全面的にサポートに回ってもらう。安全策も徹底的に講じた上で、クラス毎にタイムスケジュールを決め、効率的にぐるぐる回していった。幸い当日は天気も良く、一つ一つの実験に子どもたちは顔を輝かせて夢中になっている。会長が絶賛していただけあって、確かに良い企画だ……事前準備と当日の運営は半端なく大変だったけれども。

そしてもう一つ、スペシャルな要素があった。テレビクルーの撮影が入ったのである。後日、夕方のニュースのトピックスコーナーで、この試みが紹介される手はずになっていた。

もちろん、陽子の画策によるものだった。スタッフの中に、大学の後輩がいるのだ。こちらがダメなら新聞記者の知人に取材を頼もうと思っていたが、やはり保護者に与えるインパクトとしてはテレビ放映の方が上だ。幸い、この手のネタはお茶の間の受けがいいと、後輩は快諾してくれた。

校長先生にとっては、自校が「楽しんで学べる機会を子どもたちに提供している」学校として紹介されるのは、歓迎こそすれ、断る理由などはないだろう。親と子にとっては、「テレビに映るかもしれず」、「テレビで観たことのあるキャスターが学校に来てくれる」とくれば、喜びこそすれ、文句を言う理由はないだろう。

結果として、初の二学年合同レクリエーションは、参加者すべてに非常な満足感を与えて、つつがなく終了した。保護者の出席率は、かつてないほどに高かった。こういう行事には絶対参加しない五十嵐までやってきて、息子と共にやたらとテレビカメラの前をうろちょろしていた。親の髪は相変わらず派手な金髪だったが、連音くんの方は自然な髪色に戻りかけているところだった。

「あなたとのおしゃべりで、テレビ作戦を思いついたのよ」と声をかけようかと思ったが、やめておいた。きっと調子に乗るに決まっていたから。しかし平日の行事に出てきたところを見ると、まだ就職は決まっていないのかもしれなかった。

巨大シャボン玉を作りながら、歓声を上げる村辺真理ちゃんと玉野鈴香ちゃんの姿があった。それぞれの母親も、嬉しげに見守っている。

真理ちゃんに、無邪気な笑顔が戻って本当に良かったと、つくづく思う。同じ団地に住む役員仲間によれば、村辺の最近の悪評はとんと聞かないと言う。悪い癖を抑える努力をしているのなら、それがうまくいっているのなら、それも良かったと思う……まだ、まだ、まったく油断はできないけれども。

「お母さん、見て、すごいでしょー」

興奮して大声を出す我が子に、陽子も大声で返した。

「ほんとだー、すごいすごい」

そして、思った。

もし役員をやっていなければ、今、ここにいることもなかったわけで。陽介のこんな笑顔も、見ることができなかったわけで。

ここに至るまで、言うに言われぬ苦労をしたけれども、それでもやっぱり、やれてよかったのかもしれない。

――最大の難敵かと思った会長さんも、あんがいチョロかったし。

調子に乗って、そんなことまで考えた。

甘かった。後から考えると、つくづく、甘かったと思う、陽子であった。

4

仕事とは無能な人間のところに滞留し、有能な人間のところにはじゃんじゃん流れていくというのが、会社員としての陽子の持論である。上司の「急ぎの仕事は忙しいヤツにやらせるべし」という言い種には腹が立つものの、間違ってはいないと思う。

だが、ＰＴＡ活動に於ける雑務は、お人好し（といって悪ければ心根の優しい人）のところにじゃんじゃん流れていくものらしい。

学級委員仲間に沢さんという人がいる。企画申請書の再提出に行ってくれた人だ。何かものを頼むと、嫌な顔一つせずに引き受けてくれるものだから、弱みを握っている村辺ともども奴隷の如く使い倒していた。聞けば彼女、執行部役員も含めて今年で四度目のお務めだそうである。下にさらに二人在学児童がいるため、毎年どこかで引き受ける羽目になるらしい。話を聞いて仰天する陽子に、沢さんは事も無げに言った。

「来年もたぶん引き受けるわ」

「いくら何でももう充分でしょ」

「あのね、ズルして下の子の方で引き受けるつもりなの。そうしたらお兄ちゃんの方では今年分の一回しかやってないことになるから、一回分、お得でしょ」

さも悪事を打ち明けるように小声で言う。

お人好しにもほどがあるわと、陽子は思った。二回ノルマどころか、一回も引き受けないまま卒業してやろうともくろむ人たちがいるというのに。いやむしろ、そういう人たちが増えてきたから「ノルマ二回」なんて不文律が後から出来上がったのではないかという気がする。

それはともかく、その沢さんから電話が入った。例によって人の好い彼女は、五年生の学級委員を代表してPTAの臨時会議に出席してくれていた。陽子はそのことに対するお礼を言ってから、レクリエーションを通じてすっかり気安くなった沢さんに軽口を叩いた。

「だけど学級委員なんてもう、事実上お役ご免よねえ。何をそんなに伝達することがあるのかしら」

「何言ってるの」と沢さんは咎めるように言った。「一番大変な仕事を忘れてるわよ、山田さん。三学期に次の役員を決めるの、私たちなんだから。六年生でやってくれる人を探すの、死ぬほど大変だって聞くわよ」

うえーっと思った。沢さんは四回も役員をやっているだけあって、内部の事情に詳しい。彼女がそう言うのなら、本当に、死ぬほど大変なのだろう。

「それよりもね、今回の議題は子どもたちの安全管理についてだったんだけど、ほら、ついこの間も隣の学区で連れ去り未遂があったりして、騒ぎになったでしょう？　不審者情報も増えてるし、学区内で軽い接触事故とは言え交通事故もあったし、このまま何もせずにいて、事件や事故になってからじゃ取り返しがつかないって会長さんが……」

「あー、それはねー」いつぞやの出来事を思い出し、陽子はうなずく。会長さんの言葉はいつもながら正しい。どこへ出しても恥ずかしくない正論である。しかし……。「具体的に対策に乗り出すってわけ？　ＰＴＡで……」

すごく、嫌な予感がする。

「そうなのよ。おいおいパトロール隊なんかも考えているらしいんだけど、まずはね、登下校の際の旗振りを復活させるって……なり手がいなくなっちゃって、ずいぶん前に廃止されてたんだけどね」

「旗振りって、いわゆる緑のおばさん的な？」

そう言えば最近はまったく見かけない。

「あれは、私も知らなかったんだけどれっきとしたお仕事だったんだって。つまり、ちゃんとお給料も出てる感じの。で、今回言ってる旗振りは、まあやることは同じだけど完全なボランティアよね。児童を交通事故の危険から守り、ついでに不審者にも目を光らせるんだって」

「で、それ、誰がやるの？」

「私たちが」

「えっ」

思わず大声が出た。

「正確には学級委員が音頭を取って、クラス毎にお当番制にするわけだけど、何しろ登下校の時間、毎日のことでしょ？　危険な交差点なんて、学区内にどれだけあると思う？　結構な頻度で回って来ちゃうわよ、きっと」

「いや、だってそれ、勤め人には無理でしょ、完全に」

登校が朝八時前後二十分くらい、下校は学年や曜日によって違うがだいたい三時から四時頃、そんな時間に地元の交差点で旗なんて振れるサラリーマンがどこにいるというのだ。

「……そう思ったんだけどね……何か、反対意見を言える雰囲気じゃなくって。できませんなんて言おうものなら、子どもが車に轢《ひ》かれても変質者に攫《さら》われてもいいんですねって言われかねないムードで……」

それはよくわかる。あの会長ならそう言うだろう。

だが、自分でも「無理」と思うことを、他人に頼み込んでやってもらわねばならないとなると……考えただけで頭痛がしてくる。

「それとね、もう一つあるんだけど」沢さんの言葉に、まだあるのかと陽子は目をむいた。

「あのね、地域の自治会連絡会からの要請なんだけど、自治会主催行事にPTAから人手を供出してもらえないかって。ほら、あちこちの子供会がなくなっちゃったでしょ？　それでお祭りとか盆踊りとか運動会とか防災訓練とか、そういう大規模行事で若い働き手がいなくなっちゃって、すごく困ってるらしいのよ。前までは子供会の地区役員さんのお仕事だったんだけどね、て言うか、私もやったことあるんだけどね」

「子供会の役員もやってたの？」

「お兄ちゃんが三年生までは子供会、あったから……」

当たり前のように沢さんは言う。

お祭りなどでの人手不足については、以前の自治会長経験からある程度承知している。

あのときは、元気なお年寄りに頑張ってもらえばなんて気楽に考えていた。が、どうやら思ってもないところにしわ寄せが来たらしい。

「それでね、行事ごとにPTA執行部の方でクラスをいくつか指名するから、学級委員が責任持ってお手伝いの人を選任するようにって……もし誰もやってくれる人がいなければ、学級委員自身が出るようにって」

「……出るようにって、でもそれ、行事一日だけの話じゃないでしょ。事前準備から当日の運営から後片づけまで全部ってことよね。しかも広い学区内のどこに派遣されるかもわからないわけよね。行ったこともない場所の、見も知らないお年寄りの言いつけ通りに働けと、そういうことよね」

もちろん無償で。こちらの都合はおかまいなしで。

お祭りや運動会の季節は、まさにこれからである。だからこそ、このタイミングで声がかかったのだろう。

「……いったい誰がそんなこと、引き受けてくれるって言うの。そういう負担が重すぎるから、子供会が自然消滅したんでしょうに」

思わず声を荒らげると、沢さんは申し訳なさそうに「そうよね……」とつぶやいた。

「私、何も言えなくて……山田さんが会議に出てくれていたら、その場でそういうふうに言って下さったでしょうにね。お勤めされている方の立場とか、うまく説明できたでしょうに……」沢さんはやや言いにくそうに口ごもってから、つけ加えた。「とにかく会議には専業主婦の人しか出てなかったものだから……」

相手に陽子を攻撃する意図はまったくないことくらいわかっている。だが、この言葉は鞭《むち》のようにぴしりと陽子を打った。

選挙権を行使しない人間に、政治について文句を言う資格がないように、出席しなかった会議で何が決定しようと、欠席者に文句を言う資格はない。それが道理である。あの会長なら鼻で笑ってそう言うだろうし、それは間違ってはいない。正論そのものである。

だが正論というものには柔軟性がない。正論はきっちりとした正方形である。そして正論は白黒の市松模様をしている。それを、形が定まらず、何色ともつかない色をした「現実」に無理やり当てはめるのは、やはり無茶なのだ。

だが、あの恐るべき会長様には、無茶を正義の名の下に無理やり押し通してしまう、能力と人望とパワーがある。昔職場で〈ブルドーザー〉なんてあだ名をつけられたこともある陽子であったが、「あの人こそブルドーザーだよ」とつくづく思う。

実は似たもの同士の二人なのかもしれないと思い当たり、いやーな気持ちになった。

5

唯々《いい》諾々《だくだく》と従うつもりはなかった。

実際問題として、無理なものは無理である。今でさえ、職場に迷惑をかけたり、仕事そのものになにかと支障をきたしがちなのだ。これ以上、会長が求めるレベルでの労働力の提供となると、陽子の仕事も家庭生活も、確実に破綻してしまう。はなからできない相談だった。

そして自分にできないことを、無理やり他人に押しつけることもまた、陽子にはできなかった。

こうなったら直訴か討ち入りか、はたまた全面戦争か……。

困るのは、会長があくまで「子どもたちのため」「地域社会のため」ということを大上段に振りかざしていることだ。強硬に反対する姿勢を見せようものなら、またもややたらと剣呑《けんのん》な方向へ思考が向かう陽子である。

〈モンスター・ペアレント〉の烙印を押されてしまうだろう。何かことが起きてしまった場合、「あのときあの人が反対したせいで」と非難の矢面に立たされることも、目に見えている。もしそれが重大事件なら、地域に住んでいられないほどの事態になりかねない。それがわかっているから、多くの人はおそらく表面上は反対意見を述べず、陰でのみ文句を言い、そしてなんとか義務から逃れようとあれこれ画策する。そして沢さんみたいないい人が、他の人の分まで旗を振る羽目になる。どう考えても理不尽だ。

沢さんとの電話を終えて、陽子はしばらく考え込んでいた。

「——よろしいですか？　これは決定事項です。皆様がお忙しいのは重々承知しておりますが、どんなご都合もお子さんの命と比べられるものではありません。どうぞふるってご協力をお願いいたします」

上条会長の説明が終わり、会場はしーんと水を打ったように静まりかえった。

なるほど、この迫力で演説されたのなら、反対意見どころか質問一つできなかった沢さんの気持ちもよくわかるわと、しみじみ陽子は思った。

沢さんから電話があった、同じ週の土曜日のことである。小学校の体育館で識者による講演会があった。もちろんPTAによる主催である。年に何度も開催されていて、最初の頃は「役員はなるべく出るように」だったのが、参加人数がどんどん減っているらしく、「役員は絶対出るように」と通達があったばかりだ。なんでも公的な補助金をもらうためには不可欠な活動の一環なのだという。

ともあれこの機会を、利用することにした。陽子は上条会長に直接連絡を取り、講演会終了後に、旗振りや自治会の手伝いに関する説明会を開いて欲しいと依頼したのだ。

案に相違して、会長はわりとあっさりその要求を呑んだ。ひょっとしたら、元々その機会に説明を行うつもりでいたのかもしれない。

あらゆるツテを動員して、すべてのクラスになるべく説明会に参加するよう、連絡網を回してある。そのため、講演会終了後になってから、どっと人は増えた。やはり旗振りと聞いて「げっ」と思った保護者は多いのだろう。

「それでは最後に質疑応答を……」

と司会が言い終えないうちに、陽子は立ち上がってさらに手を挙げた。司会役の執行部役員は陽子を認め、あからさまに嫌な顔をした。そんなことはものともせず前に進み出て、マイクを握る。

「五年二組学級委員の山田です」

自己紹介をして一礼してから、陽子は真っ直ぐに上条会長を見つめた。相手も、わずかな揺らぎもない視線でこちらを見つめ返してくる。確かに彼女はあっぱれな女性だった。

「——会長さんが今おっしゃった、子どもたちの安全を守ること、地域社会に貢献することは、確かにとても大切なことです。それについては、疑問の余地はありません。ただ、実施にあたって、多少私の意見を言わせて下さい」

一気にそう言ってから、すうと息を吸う。言いたいことはもちろん、多少どころの騒ぎではない。

「まず旗振りについてですが、会長さんは以前は保護者でやっていたから今も問題なくできるとお考えのようですが、実はそう簡単ではありません。時代の趨勢《すうせい》と共に消えたものを復活させるのは、容易なことじゃないんです……まずは、皆さんによく理解していただくために、簡単な計算のお話をします。

年のうち、実際に登校する日はおよそ二百日。旗振りが必要な交差点を二十ヵ所として、一人一ヵ所ずつ担当。単純計算で、のべ四千人分の労力が必要です。現在児童数およそ七百名で、親御さん一人あたり五、六回。役員を引き受けて下さっている方や、ごきょうだいの多いご家庭には配慮が必要ですから、その分余裕を見て年に六回としましょう。大したことないじゃないとお思いの方もいらっしゃるでしょうが、働く母親の有給休暇は既にかなりの日数、学校行事や予防接種などによって消化されています。お子さんやご自身の病気、学級閉鎖などによって急に休まざるを得ないことも多々あります。その上でのプラス六日。ごきょうだいがいらっしゃればさらにその二倍三倍です……これははっきり言って、職場を休める範囲を大きく超えています。この不況下、それでクビになるようなことがあったら、ＰＴＡは責任を取ってくれるんでしょうか」

挑戦的に言い放ったら、会長は少しも表情を変えず答えた。

「それでクビになるなら、そんな仕事は辞めてしまえばいいんです。何が一番大切かをよく考えて下さい。あなたは、お子さんの命が大切ではないんですか？　母親なら、仕事より子どもをとって当然ではないんですか？」

陽子はクスリと笑った。

「あら、会長さんは、旦那様に『仕事と私とどっちが大事？』って詰め寄る口なんですか？」

会長の冷静な顔が、一気に怒りの色に染まった。

「何を言って……」

「ああ、失礼。先ほどのご質問にお答えしますと、今どきの母親なら、仕事も子どもも両方とって当然だと、私は考えますね」

「……それがどうしても無理なときには、どうなさるおつもりですか？」

「無理でなくなる方法を模索します」すらりと答えてから、陽子は会場の方に向き直る。

「先ほど私は、旗振りのための労力を児童数と同じ七百で計算しました。実はこの数字、倍近くに増やすことができるんですよ……おわかりですよね。お父様方の協力です。ご家庭あたりの労働力を二とし、シングルのご家庭は一とする。母親が働いていようといまいと、です。これが平等というものではないですか？」

みんなの大好きな平等、そして公平。

「我が子の命が何より大事なのは、父親だって同じことですよね。たった年に三日だけ、フレックスタイムを利用して朝だけ受け持つも良し、平日休みがあったり創業記念日がある方はその日にしてもらうも良し、半休を使うも良し、いっそそのまま有休を取得して授業参観に出るも良し……ご家庭内やクラス単位で柔軟な運用をしていけばいいんです。大事なのは、必ずお父様にも参加してもらうこと。子どもの安全を守るのは、両親双方に課せられた使命なのだと自覚してもらうことです」

正論も正論、どこへ出しても恥ずかしくない正論だ。

結局、正論と闘うためにはこちらも正論で武装するしかない。が、これは陽子の本心でもあった。働く母親にできて、働く父親にできないことなんて、何ひとつないはずだから。

仮に会社勤めの男性に、「こんな感じでやって欲しいんだけど」とPTA活動のマニュアルを渡そうものなら「ふざけるな、こんなことやれるわけないだろう」との返事が大多数であろうことは容易に想像がつく。

しかしフルタイムで働く女性が同じセリフを吐くことは許されない……ただ、母親であるというだけで。

なぜ仕事をするのか？　という問いに、「家族を養うため」と無邪気に答えられる男性が、つくづく羨ましい陽子である。

「……学校のことを父親に頼むなんて……」

どこか弱々しく、会長がつぶやいた。

「できませんか？　それはなぜですか？　旦那様はお子さんが大事じゃないんですか？危険な目にあってもかまわないんですか？」畳みかけるように尋ねてから、ふっと笑って陽子はつけ加えた。「……ほんとうに、父親から手を掛けてもらえずにいるお子さんは可哀想ですよね」

いつぞやの意趣返しである。陽子は右の頬を打たれたら、きっちり相手の右頬を殴り返す主義なのだ。

「続きまして、自治会行事のお手伝いに関してですが……」歯切れの悪くなった会長をよそに、陽子はてきぱきと話を進めていった。「確かに地域社会への貢献は大切なことです。ただ、会長案ですと、ご近所にお住まいの方が地区の子どもたちを見守る結果には繋がりません。そこで僭越《せんえつ》ながら修正案を考えました。PTAで地域ごとの在籍児童の名簿を作成し、各自治会に目的外使用厳禁で渡し、個別に依頼してもらうというのはいかがでしょう。地域との繋がりを深め、そこに住む子どもの安全を気にかけていただくためにも、その方が絶対にいいはずなんです」

手伝いを頼む側が顔を合わせてお願いするのが筋だろうと陽子は思う。双方に感謝と礼儀の心なくして、ボランティアなんて成り立たない。

「そして考えたのですが、たとえばお祭りのお手伝いを引き受けられた方の分、自治会のお年寄りが旗振りを代わって行う、というのはいかがでしょう。保護者の中にはやはり、どうしても平日の旗振りができない方もいらっしゃいますよね。そういう方のための救済策です。土曜日や日曜日に、若い世代がお年寄りにできない力仕事を行い、代わってお年寄りには旗振りをしてもらう。単にギブアンドテイクというだけでなく、異なる世代間の交流にも繋がると思うのですが。上の世代の方に、今の子育て世代に対する理解を深めていただき、子どもたちのおかれた危険な現状を知っていただく。そうすることによって、地域社会に監視の目を増やしていけると思うんです……登校時間に洗濯物を干していただいたり、庭の手入れをしていただいたり。登下校時に合わせて買い物や犬の散歩をしていただいたり。そういう積み重ねこそが、真に子どもたちの安全を守ることに繋がると私は思うのですが、会長のお考えをお聞かせ下さい」

とうとうと語り終えて、陽子は大きく息をついた。バリバリ本気モード全開である。

陽子の長過ぎる演説に、会長だけでなく会場全体が呆気にとられた風だった。そしてなぜか、わーっと拍手が起きた。

「……貴重なご意見をありがとうございました」我に返ったように、会長は言った。

「一意見として、承っておきます」

「それじゃ、ダメなんです」すかさず陽子は言った。「一意見として聞きましたってだけじゃ、話にならないんです。結局何も変えるおつもりがないってことですよね？」

確認したが、相手は無言である。陽子はひときわ大きな声で言った。

「——会長さんのお考えはよくわかりました。でしたら、今ここで、上条会長のリコールを要求致します」

会場内に、大きなざわめきが起きた。陽子はその一角に向けて、手招きをする。立ち上がってしずしずとやってきたのは、あのヤンキー五十嵐だった。ただし、元の面影はどこにもない。長い髪は自然な色に染め直され、ナチュラルな化粧に白いスマートなスーツがよく映えている。普段のジャージ姿はどこへやら、どこからどう見ても楚々《そそ》とした美人で、到底小学校高学年の母親には見えなかった。

沢さんから電話をもらった後、陽子は五十嵐に連絡を取って言ったのだ。

『――お芝居に未練があるって言ってたよね。やってみない？　ＰＴＡ相手の大芝居』

と。

思ったより気軽に五十嵐は乗ってきた。というよりむしろ、ノリノリだった。スーツやバッグは陽子のお古をあげた。ヘアやメイクは、陽子の要求通りの役作りである。とは言えあまりの化けっぷりに、陽子は内心で舌を巻いていた。

「……こちらは、五年二組の五十嵐礼子《れいこ》さんです。この方を、新しいＰＴＡ会長に推薦します」

高らかに宣言し、陽子は五十嵐にマイクを渡した。

「ただいまご紹介にあずかりました五十嵐です」と言ってにっこり微笑む様は、すっかり清楚可憐な若奥様である。あの蓮っ葉なしゃべり方は完全に影をひそめ、何やら声まで違って聞こえる。「ご存じの方もいらっしゃるかもしれませんが、うちはシングル家庭です。こんな時代ですからなかなか仕事も見つかりませんが、もちろん、すぐにでもフルタイムで働くことを希望しています。そんな私ですが、やはり子どもが可愛いのは皆さんと一緒です。できることなら、PTA活動に参加して、子どもたちのために働きたいと願っています。ですが、今のままではそれが叶いません。さきほど山田さんがおっしゃったように、現状では働く母親が気軽に参加できるようなシステムにはなっていないのです。

なぜ、PTAという組織は、こんなにも時代の変化から大きく取り残されているんでしょう。なぜ、少しも変わろうとしないのでしょう。それには色々な原因があるでしょうが、一つには、一番困る人、つまり働く母親が、その場を『前年と同じく』で乗り切ること、もしくは逃れることだけを考え、『どうすればできるか』という方向に向かわないからじゃないでしょうか。話し合いの場にさえ、ろくに出てこない母親が、結局自分で自分の足を引っ張っているのです。

そんな兼業主婦を、専業主婦の方が良く思わないのは、ある意味仕方ないのかもしれません。けれど私は声を大にして言いたいのです。敵はそこにはいないのです。女を女の敵にするのは愚かなことです。何が一番大切か、それは言うまでもなく子どもたちの安全を、生命を守ること。その最も大事な使命の前には、専業主婦も兼業主婦も、そして父親と母親も、固く結ばれた同志でなくてはならないのです。その為には、『父親も参加できるＰＴＡ』をモットーに、業務の必要最低限までの削減、そして組織の縮小及びスリム化効率化を図っていく必要があります。活動時間への配慮も必要でしょう。この、社会的弱者である私にも会長が務まるＰＴＡ……それが、私の考える理想の形なのです」

陽子が原稿用紙二枚に渡って書き綴った長台詞を、五十嵐は一ヵ所もつかえることなく見事に言い終え、ほっとため息をついた。そしてにこりとはにかんだように微笑んだ顔は、実に可愛らしかった。

次はまた、陽子のセリフの番である。

「勝手ながらただいまこの場を、臨時ＰＴＡ総会とさせていただきます」ＰＴＡ規約なんて知ったこっちゃない。大人数を一度に相手にするときは、とにかく気合いと勢いで乗り切るに限るのだ。「こちらの五十嵐礼子さんを新会長として認めて下さる方は、どうか大きな拍手をお願い致します」

ここからは賭けだった。場内がしんと静まり返ったまま、ということだって充分あり得る。

だが、まずまばらな拍手が起き、続いて割れるような拍手が起きた。

最初は確かに場内に仕込んだサクラの拍手がきっかけだったかもしれない。が、その後の拍手の高まりは、皆が間違いなく自らの意志に従った結果だった。

わあっという歓声まで上がる中、体育館のサイドの扉がひっそり開いた。無言で立ち去る上条会長の背中に気づいたのは、おそらく陽子ただ一人だった。

6

「――山田さんさあ、市議会議員とかに立候補するといいよ。あの堂々とした演説っぷりったら、ただもんじゃないよ、ほんとに。よくまあべらべらべらべら、あんだけしゃべれるものだわね」

後で玉野遥から、からかうように言われた。

「お誉めの言葉として受け取っとくわ」

「誉めてるんだって。私、山田さんになら、はりきって投票するけどなあ。ほんと、転職すべきよ」

「まあ、ありがと。でも、今の仕事、天職だと思ってるから」

テンショク違いである。

「本当に、格好良かった。憧れるなあ」

村辺にまでうっとりとそう言われたのには、びっくりした。

「あーあ、私もほんとなら、今頃会長様だったのになあ……そんでもって、美人過ぎる

PTA会長とかってもてはやされてたかもしれないのに」

五十嵐礼子が大仰なため息をつきながら言った。

「自分で言わないの」玉野は人の悪い笑みを浮かべた。「第一、ほんとになっちゃってたらどうするつもりだったの」

「いやー、意外と天職かもよ? それに履歴書にさ、現PTA会長とかって書ければ、就職に有利だったかもしんないしー」

陽子は思わず苦笑した。

「あのときのキャラのままで面接すれば、一発採用だと思うんだけどね」

五十嵐はすっかり元のヤンキー姿である。

結局、後日学校側からの話し合い……というよりほとんど懇願があり、陽子が勝手に開催した臨時PTA総会は幻に終わった。役員選出に先生は関わらないのが建前なのだが、実際のところ、学校行事や保護者による奉仕活動の取りまとめなどでは、かなりの部分、学校はPTAに依存している。「仕事を大幅に減らします」なんて宣言した会長とペアを組んでは、何かと立ちゆかないのだろう。第一規約に則《のっと》った手続きを何ひとつ踏んでいないのだ。「なかったこと」にされるのも、陽子としては想定内ではあった。

その後ぺらりと配布されたお便りでは、上条会長がご都合により退任を希望されたが、学校側の強い慰留により続投されることとなりました、とだけ説明された。自治会の手伝いについては陽子の案が採用された形となり、旗振りについてはしばしの検討期間がおかれることとなった。

どうやら陽子は五十嵐と共に、学校側やPTA執行部から、要注意人物として認定されたらしかった。あれだけのことをしでかしたのだから、無理もないことだが。どういう魔法を使ったものだか、いつの間にか次年度クラスの（つまり新六年二組の）学級委員二名、及び運営委員二名が、早々と決定していたのである。明らかに、陽子と五十嵐が次年度の執行部に乗り込み、改革に乗り出すことを恐れてのことに違いない。陽子としては、死ぬほど大変という噂の仕事をせずに済み、二回目のお役目もやらなくていいよと宣言されたに等しく、まあ万々歳といったところである。

上条会長の息子は現六年生だから、放っておいてもこの年度末で退任となる。さて次の会長に、棚上げされた形の旗振り仕事を復活させられる手腕があるかどうか……見物《みもの》ではあった。

そうして陽介が六年生になってからの一年間は、近年にないほど心穏やかな日々が続いた。陽子は安心して仕事に打ち込み、そしてできる範囲で自治会行事やPTA活動の手伝いをした。この年、旗振りの代わりに防犯パトロールの仕事が活動内容に加わり、もちろん陽子も時間をやりくりして何とか参加した。夫も交代で引っ張り出してやったことは言うまでもない。

そしてさらに年が明けた一月中旬。

陽子は四月から陽介が通う中学の、新入生保護者説明会に出掛けて行った。あの赤ん坊だった陽介が、もう中学生かと思うと実に感慨深かった。

配られた大量の資料に目を通すうち、陽子の手がふと止まった。

そこには大きく、「委任状」と書かれていた。本文のうち、下半分は以下の通りである。

「やむを得ず委員が決まらないクラスは、欠席された方を含めてのくじ引きとなります。この結果当選された方が、どうしても委員を受けられない場合、ご自身の責任において代理の方を探していただくこととなりますので、その旨ご了承下さい。○○中学校PTA」

切り取り線以下が委任状となった用紙を握りしめ、陽子は深々とため息をついた。

——どうやら闘いは、これからもまだまだずっと続く……ということのようであった。

エピローグ

陽子は一軒の家を訪ね、ベルを押した。

「――山田です。先日は突然お電話してすみませんでした」

インターホンに向かってそう挨拶すると、少ししてドアが開いた。

そこに立っていたのは、上条元会長だった。

「何の用？」

かなりつっけんどんに、そう言われた。そんな態度を取られることに、身に覚えがありすぎる陽子である。

「……少し長いお話になりますが、ここでよろしいですか？　それとも、近くの喫茶店にでも？」

元会長はじろりと陽子を見てから、無愛想に言った。

「上がったら？」

遠慮なく、上がらせてもらう。元会長の性格を表すように、部屋の中はきっちりと機能的に整えられていた。片隅に、インテリアとは不似合いな仏壇をみとめ、陽子はふと視線を止めた。小さな女の子の写真が飾ってあった。

「長女よ」視線に気づいた元会長は言った。「小学校に上がる前に亡くなったの。生まれつき、重い病気で……」

「……それは……」

どう答えたものか、わからない。元会長は陽子に椅子を勧め、自らはキッチンに入っていった。薬缶《やかん》に水を入れ、火にかける音が聞こえてくる。ややあって、独り言のような言葉が、それに続いた。

「……私もね、男に負けないくらい、仕事ができたのよ。これでも霞ヶ関の住人だったの。結婚しても、仕事を辞める気なんてなかった……けど、生まれた子どもは付きっきりでの世話が必要な病気を抱えてた。ためらいなんてなかったわ。この子のためになら、すべてを捨てても惜しくないって思ったの。仕事の代わりはいくらでもいる。だけど、この子の母親は私しかいないんだからって」

薬缶の笛が、甲高い音を立てた。それは、しばらくの間鳴り続けていた。

やがて笛の音が止み、急須に湯を注ぐ音が響いた。盆に二人分の湯呑みを載せ、元会長はリビングに現れた。

「――でも、あの子は死んでしまった」

からからの声で、絞り出すように彼女は言った。

「後悔なんてしていない。仕事を辞めずにいたら、よっぽど後悔してたと思う。その頃には、下の子も生まれていたし、私は、残った子どものために全力で頑張ることにしたの。頑張って頑張って、PTA会長まで引き受けて、毎日PTA室で仕事に励んで、ただ、子どもたちのためにって頑張って……そうしてあそこであなたに会っちゃった」

ひどく顔をしかめられて、陽子は思わず苦笑した。

「上条さんは、私のことがお嫌いですよね」

一瞬のためらいもなく、相手はうなずいた。

「ええ、大嫌い」

だろうな、と陽子は思う。

かつて気づいたように、元会長と陽子は異なる道を取った似たもの同士だ。だからこそ、相まみえた瞬間から敵同士とならざるを得なかった。

おそらく二人とも、熾烈《しれつ》な受験戦争を、性別を超えて勝ち残ってきた口だ。何度も何度も、試験によって試され、ふるいにかけられ、努力に努力を重ねた末、誰もが羨むような超一流の職場で働く権利を得た口だ。だが元会長は、我が子のためにそれをあっさり手放した。そしてその子を喪《うしな》ったとき、かつての道はもう閉ざされていた。

一度途絶えたキャリアを再び繋げるのは、容易なことではない。マラソンで一度足を止めてしまったら、もうその大会で優勝するのは困難なように。気がつくと、能力的に歯牙《しが》にも掛けていなかった男共が、はるか先を行っている……。

彼女の胸が焼けるような思いは、まざまざと想像できた。

同様の思いを抱えた人を、陽子はもう一人知っている。自治会で出会った岬さんだ。彼女といつぞや話をした公園で、再び出会ったことが、今、会長宅を訪れるきっかけになっていた。

買い物を終えての帰り道、ベンチに腰かける岬さんに気づいた陽子は、懐かしさからごく気軽に声をかけた。だが、振り返った彼女の様子は、どこかおかしかった。陽子をみとめて泣きそうに笑い、そして言った。

『みーんな、死んじゃったわ』

聞けばその前の月、岬さんの母親が亡くなったのだという。ずっと通いで介護していた夫婦双方の両親の、最後の一人であった。

岬さんは陽子と会って何かがあふれたのか、突如はらはらと涙を流した。

『もう何も残ってないの、私には。二十年ずっとこの生活をしてきて……子どももいない、今さら産むこともできない、仕事だってない、夫婦の気持ちも離れてる……私はもう、誰からも必要とされていないの』

そう言って、顔をくしゃくしゃにゆがめた。

『そんなことない、岬さん。絶対、そんなことないですよ、岬さん。あなたみたいに頭が良くて責任感があって能力もある方が、誰からも必要とされないなんてことは、絶対にないんです』

思わず相手の肩に手を添え、強い口調で言っていた。

それまで漠然と考えていたことが、あるはっきりとした形を取った瞬間であった。

「――意外でした。てっきり中学でもＰＴＡ活動に関わられるものとばかり思っていましたから」

出された日本茶に口をつけてから、陽子は話を続けた。「大嫌い」と言われたことなど、まるでなかったかのように穏やかな口調で。

相手は冷ややかな声で言った。

「クジで外れたの。ただそれだけ」

「私の方は大当たりでしたよ……できる範囲で、やらせていただいていますけど。仕事の方は相変わらず多忙で、役員仲間にも、仕事仲間にも迷惑をかけることはあります。それでもなんとか、ね」

笑いかけてみたが、お義理にも笑顔は返ってこない。かまわず続けた。

「息子が小学校に上がったばかりの頃、恥ずかしながら思っていました。ＰＴＡ役員なんて、そんなもの、暇な専業主婦の人がやればいいじゃないのって。それでのっけから、敵を作ったりもしました。なにしろ私はこういう性分なもので、しょっちゅう敵ばっかりこしらえていたんですけれどね。男には七人の敵がいるなんて言葉がありますけど、女にだってやっぱり、七人どころじゃなく敵がいるんです。まあ私の場合、自業自得な部分も大きいですが……いつだって、周り中敵だらけで……その中でもラスボス級に手《て》強《ごわ》かった敵は、上条さんでした。一番言われたくないことをずばっと言われちゃったり。覚えてらっしゃいます？」

　元会長は、黙って肩をすぼめた。

「私たちは、それぞれの理由から、過剰に母親であろうとしたんだなって思います。やり方はだいぶ違っていましたけれど。お嫌でしょうが、私たちってどこか似てるんですよ」

「相変わらず話の長い人ね」ようやく元会長は口を開いた。「それで用件は何なの？　結論から言って頂戴」

「では単刀直入に言います。私たちと、手を組みませんか？」ずばり言って、陽子は笑った。「昨日の敵は今日の友って言うでしょう？」

　相手は意表をつかれたらしく、心持ち、眉を上げた。

「手を組むって何？　悪の組織か何か？」

　陽子は破顔した。

「悪の組織はいいですね。まあ、そんなようなものかもしれません。他人様《ひとさま》が困っている部分に、ビジネスチャンスを見ているんですから……腹案としてはこういうことです。つまり、多忙でPTA業務を引き受けられない保護者がいる一方で、専業主婦であるというだけの理由で色んな仕事を押しつけられがちな保護者がいる、これは不公平なことです。これを公平にするためには、ビジネスにするのが一番なんです」

「お金のやり取りをするってわけ？」雷鳴が轟《とどろ》くような勢いで元会長は言った。「なんて下品なの。教育の場でそんなことができるわけないでしょう」

「もちろん、そうです。ですから第三者的外部機関が必要になるわけです。もちろん、ボランティアではなく、ビジネスとして」

　わずかな損もしたくない人が増殖しつつあると、陽子は実感している。長い不況がもたらしたものか、それとも原因は他にもあるのか、社会全体が守りに入っている、と思う。人は自分及び自分の家族を守ることのみに汲々《きゆうきゆう》とし、広い視野で物事を見る余裕を失いつつある。もちろんそれは陽子とても例外ではない。

　損得勘定の土壌に、PTAというボランティアの家を建てるのは、どだい無理な話だ。家はじきに歪《ゆが》み、ひび割れ、崩壊することだろう。それくらいならビジネスによる解決を図った方が、よほど即効性があり得策ではないかと思うのだ……たとえそれが、奉仕の心などという高邁《こうまい》な精神から遠く離れていようとも。

「――感心しないわね」けんもほろろの口調で元会長は言った。「あなたはそれが公平だって言うけど、私はそうは思わない。親なら子どもたちの為に多少のことは犠牲にして尽くすのは当然のことでしょう？　それを何？　お金を払ったからいいでしょうって？　そんな商業主義を持ち込めば、何ひとつしないで大きな顔をする人が絶対に現れるわよ？　金持ち優遇だと、不満に思う方も多いでしょうね。お金の力を使って、人に本来自分がやるべき仕事を押しつけるのは、不公平ではないの？」

「不公平ではないと、私は思います」元会長の反駁《はんばく》に、陽子はむしろ嬉しくなった。あ、この人の闘争の炎は、やっぱり消えていないのだ、とわかったから。「現状でも、何ひとつ関わろうとしない人はいますよね。単に、面倒臭いからやらないという人も多いですが、仕事上、どうしても不可能だという方もいらっしゃいます。例えば、女性医師とか、学校の先生とか。もし我が子の担任が、『PTA活動があるから』という理由でたびたびお休みされたら、それはそれで問題ですよね。女医さんの場合も然《しか》りです。人の命を預かっている立場の方にとって、PTA活動とどちらが大切かなんてこと、自明の理でしょう？　こういう、現実問題として参加するのは不可能な、けれど富裕な方達が、お金を払って代理を立てる、というのは一つの解決策ではないですか？」

元会長は鼻で笑った。

「そうね、じゃあ、あなたも言ったように、単に面倒だからやらないという人が、とても多い事実についてはどうするの？　そういう人たちは結局、何ひとつ負担する気がないのよ。義務からも逃れたい、お金を払うなんてもってのほかって考え方よ。あなたの言うビジネスは、モラルのある保護者の中でだけしか機能しない。これぞ不公平の極みね」

「さすがですね、まさにそこがネックなんです」覆《おお》い被《かぶ》さるような勢いで、陽子は言った。

「保護者のモラルハザード問題、これは本当に深刻です。何しろ自分の子どもの給食費を払わない親までいるんですから。こんなシステムを作りましたよ、有償ですがぜひ利用して下さい、なんて呼びかけたところで、こういう人たちは目もくれないでしょうね。遅まきながら色々調べてみたんですが今、ＰＴＡの役員問題が高じてポイント制を採用する学校も出てきていますよね。結局こうした制度も、モラルのない保護者にかかれば『自分は関係ない。やりたい人でやれば？』で終わってしまうわけですよ。まさに正直者が馬鹿を見る情況で。そうして馬鹿を見るのが嫌になった正直者までが、だんだんモラルを失っていくという悪循環。本当に、大問題なんです」

「あらあら大変ね、せいぜい頑張れば？」

突き放すように言われたが、陽子はニンマリ笑ってやった。

「他人事じゃないですよ、上条さん。ここであなたの出番なんですから」

「はあ?」元会長は大仰に首を傾げた。「ちょっと、何言って……」

「上条さんには、責任を取っていただかなきゃいけないんです」素早く相手の言葉を遮って、陽子は続けた。「そもそもですね、私はPTAなんて面倒なことに関わる気は、これっぽっちもなかったんです。多忙自慢をする気はないですけど、ほんとに目が回るほど仕事が忙しくて、子どものこと、家のこと、それこそ綱渡りみたいにしてこなしてきたんです」

「好きで仕事してるんでしょ、そんなの自業自得よ」

「ええ、ほんとにね。だからPTA役員も、必要最低限のお務めだけのつもりでいました。他の人の陰に隠れてうまく立ち回ってね、前の年と同じようなことを無難に、かつ一番楽な方法でって。そこへあなたの一撃が飛んできたんですよ。さっきも言ったでしょう? 一番言われたくなかったことを、よりにもよってあなたから言われちゃったって……私を奮起させたのは、あなたの一言がきっかけだったんですよ。無責任で無関係でお気楽な、その他大勢でいたかったですよ、本当は。だからあなたに、ぜひとも責任を取っていただきたいんです」

「言いがかりもたいがいにして欲しいわね。それにモラルのない保護者になんて、私だってずっと無力だったわよ。妙な期待をされても迷惑なだけ」

「まあ、ご謙遜《けんそん》を」陽子はころころと笑った。「相手の急所に弾丸を撃ち込むの、お得意じゃないですか。上条さんがその気になりさえすれば、あらゆる情報は集まってくるでしょう？　並外れて豊富な人脈と人望をお持ちのあなたなら。私を奮起させたような一撃を、他の誰かに撃ち込むことだって容易《たやす》いんじゃありません？」

「……馬鹿馬鹿しい。人をなんだと思って……」

そうつぶやいた元会長の声には、それまでほどの力はなかった。

「説明を続けさせていただきますね。この話は、なにもＰＴＡ関係に限らないんです。私は地域の子育て世代すべてを巻き込んでしまいたいんです……最終的には、ですけど。今、声をかけている仲間に沢さんって方がいるんですが、並外れて人が好い上にハンドクラフトの名手で……そうすると、どんなことになるかおわかりでしょう？　春が近づくと、山ほどの袋物を縫わされたり、お遊戯会や学習発表会の衣装を作らされたり、果てはゼッケンつけまでやらされたり……そういうの、全部有料にしてやればいいんです。うちの登録社員ってことにして。お金を払ってでも人に頼みたいって方はけっこういらっしゃいますよ……現に私がそうですもの。息子を保育園に入れていたとき、お昼寝布団のカバーだの何だの、手作りを要求されたときには参りましたよ、本当に。名入れだけでも一苦労で。幼稚園でもそういうのが山ほどあるんでしょう？　これは充分商売として成り立ちます。市販品じゃ賄《まかな》えない、特別なサイズ指定があったりしますからね。彼女にはハンクラ仲間に声をかけてもらっているところです。専業主婦の方も、自宅でできる仕事ならぜひしたいって方は多いらしいですよ。

もう一人、看護師の玉野さんって方がいらっしゃるんですが、やっぱりお仕事柄、お子さんや御家族の病気に関する相談も多いらしくて。他人の技能を無料で使おうとする人は後を絶たないですが、今後はそれも有料。もちろん、受けたからにはきちんと病院の紹介までやりますが。ま、こちらはハンクラと違って、お金を払うくらいなら病院に行きますって方が実際には大半だとは思いますけどね。それでいいんですよ、看護師さん側のお悩みは解決できますから。この手はあらゆる職種で使えると思いますよ。

それと将来的な話としては、退職した看護師仲間に声をかけてもらって、病児保育のネットワークも作れたらいいな、と。地域のお年寄りの力を借りての、学童保育や保育園の送迎、短時間の預かりなんかのネットワークも、今切実に必要とされている部分でしょうね。ただ、このあたりは安全面や法的なことも含めて、かなり慎重な対策が必要になりますが。

ネットワークといえば、保育園や幼稚園との連携もかかせませんよね。こちらにも、父母会やPTAがありますし。その部分は、小川さんって方に声をかけています。うちの近所にお住まいで、今、ちょうど保育園に通われてるお子さんをお持ちなので。それと経理担当には、村辺さんって方を考えてます。簿記の資格をお持ちだそうなので」

「大丈夫なの、あんな人にやらせて」

黙って聞いていた元会長が、露骨に不審げな声で言った。

「あ、覚えておいででしたか。ご心配ありがとうございます。でも大丈夫ですよ。人って、ずいぶん変わるものなんですね。今じゃすっかり、悪い噂も消えていますよ。あの人は結局、寂しかったんですよ。だから今はすごく楽しそうで生き生きしてて……それに管理部門には岬さんっていう、強力な助っ人をお願いしていますので、村辺さんのことも含めて管理してくれるはずです。彼女、介護を長くされてましたから、その方面での相談にも乗れますし」

そう言って、陽子はお茶をごくごくと飲み干した。反射のようにして、元会長が新しいお茶をつぎ足してくれる。礼を言って続けた。

「PTAの役員やお手伝いに関してですが、お金を払うくらいなら無理をしてでも自分でやるって方もいらっしゃるでしょうし、ぜひ頼みたいという方もいるでしょう。一方では、有償なら人の分までやっても良いという方も、きっといらっしゃるはずなんです。そして何度も引き受けてくれるうちに、PTAのいわばプロフェッショナルが現れるでしょう。一年ごとにぶつ切りになるから、業務の効率化や省力化が難しいんです。長いスパンで物事を見られれば、よりよい方向への改革もいずれ可能になります」

「私は長くやっていて、むしろ仕事を増やしましたけどね」

元会長の言葉は内容とは裏腹に、どこかからかうような調子を含んでいた。

「その逆も、やろうとすればできたはずですよね。それだけの能力と人望をお持ちでしたから……ＰＴＡについて知り尽くしていて、多くの人脈とコネを持っているあなたのお力が必要なんです。上条さんが声をかければ、近隣の小中学校もきっと聞く耳を持ってくれます」

「さあ、そううまくいくかしら。あなたの話には大きな矛盾があるわよ。ＰＴＡ業務の効率化や省力化をすれば、仕事の絶対量が減って、わざわざお金を払ってまで頼もうなんて人も減るんじゃないの？　色々言ってたけど、結局それがメインでしょ。せっかく立ち上げたビジネスも先が見えてるわね。お気の毒様」

思わず陽子の顔に笑みが浮かんだ。

やはりこの人はすごい。陽子の言葉に対し、実に的確に矛盾点や穴を突いてくる。それもノータイムで。ここまで丁々発止《ちょうちょうはっし》のやり取りができる相手は、職場にだってなかなかいない。

つくづく、埋もれさせておくには惜しい人材だわと思いつつ、陽子は答えた。

「業務量を減らす必要があるのは、現状、とても弱い立場の方達にまで負担を強いる傾向があるからです。母子家庭や父子家庭、介護をなさっている方、乳幼児を抱えた方……ご自身の病気を理由に断ろうとした方が、診断書の提出を求められたなんて話も聞きます。残念ながら私たちのビジネスでは、お金も時間もない方たちの助けにはなりません。ならばせめて、仕事の絶対量を減らして、こうした方々を無償で義務から外してあげられるようにしてはと思ったんです……ま、私が見た限りじゃ」ふいにくだけた口調になって陽子は言った。「PTAって組織は贅肉で肥え太っていますよね。どっちみち、ダイエットは必要ですよ。加入についてはあくまで任意なのに、それを敢えて周知せずに無償の労働力を集めていると思われても仕方がないですし。だいたい、不要不急の仕事が多すぎなんです。だから時代遅れだの、いらないだの言われちゃうんですよ」

相手は反射的に、何とも不快そうな顔をした。元会長としてはもっともな反応だろう。ただ、前半部分については思うところもあるらしく、黙って何事か考えているふうであった。しばし待ってから、陽子は続ける。

「……その年、役員を免除してもらった方だって、事情が変われば数年後には引き受けられるようになっているかもしれません。各家庭それぞれの事情をくみ取り、何ができるか、またはできないか、なぜできないか、いつならできるのか……そうしたきめ細かな判断をした上で、長いスパンでの仕事の整理、分配を行うなんてこと、今のPTAの手には余るでしょう？　それをこちらで引き受けようと言うのです……もちろん、タダではやりませんよ、そんな面倒臭いこと。私も今は息子が中学生になって、少し手を離れて……でなけりゃ、ビジネスでだってやろうとは思わないです、絶対に。

ＰＴＡ活動なんてやってる時間があれば、その分少しでも我が子と共に過ごしたいって言うのは、すべての働く女性に共通する思いだと思います。専業主婦だってそうですよね。会合のために幼い子どもに留守番させたり、赤ん坊をバイ菌や埃だらけの学校に連れて行ったり、多かれ少なかれ、子ども自身にも負担があるわけです。それが過ぎれば、本末転倒この上ないわけで。その上でなお、やる価値があるものなのかどうか。常に見定めていかなきゃならないんです……価値がないなら、潰してしまえばいいわけで。さきほどの、ビジネスが先細りになるとのご指摘ですが、当面は心配いらないと思いますよ。何しろ戦後から何十年も続いてきた組織ですからね、そう簡単に変えられるとも潰せるとも思いませんし……これからも、長い闘いになると思います。それに問題なんて、後から後からボウフラみたいに湧いてきますからね。PTAに限らず、学童保育関係だの自治会だのスポーツ少年団だの、子育てやボランティアにまつわる悩みだのトラブルだのには限りがないでしょうから……まったく、なんだってこんな割に合わないことを始めちゃったんだかって感じですが」ふっとため息をついてから、陽子は真顔になって続けた。

「私たちはほとんどが、別に仕事を持ちながらのスタートです。この吹けば飛ぶような烏合の衆の、強力な核になって下さる方が必要なんです。ぜひ、力を貸して下さい。お願いします」

改めて、陽子は深々と頭を下げた。

ずいぶん長い間、上条は黙っていた。そして彼女は、恐る恐るのように口を開く。

「……急なお話で、何と言っていいか……」

「もちろん、当分の間はボランティアと変わりない情況だと思います。本部も公営団地の一室に置かれるわけですし……あ、言い忘れていましたが、代表には五十嵐さんを考えています……覚えてらっしゃいますよね？　あの人の度胸と演技力と、変なカリスマ性は使えますから。美人過ぎる女社長になるって、はりきってらっしゃいますよ」

陽子の言葉に、上条はくすりと笑った。陽子も笑って続けた。

「あなたはさっき私を大嫌いだとおっしゃいましたが、私はあなたが嫌いにはなれないんです。いつもＰＴＡ室で生真面目にお仕事をなさっていた姿を知っていますから。ご自分で握られたおにぎりを持って、子どもたちのために、誰よりも頑張っていた姿を見ていますから」

また、長い沈黙が落ちた。

「……七人の敵がいるって、あなたさっき言ったわよね」

ふいに、上条は低い声で言い出した。

「ええ」と陽子はうなずく。

「あの続き、ご存じ？　……七人の敵がいる、されど……」ややためらってから、上条は続ける。「……八人の仲間有り」

そう言ってから、彼女はなんとも気恥ずかしそうな、それでいてくすぐったそうな、ひどく複雑な表情をした。

「――けだし、至言ですね」

力強く陽子は言い、かつての不倶戴天《ふぐたいてん》の敵同士は顔を見合わせ、心からの笑みを浮かべた。

あとがき

PTA小説？　なんか小難しくて、つまんなそう……。

そう思った方、ぜひとも本書を読んでみて下さい。これはあなたのすぐ隣にある、日常であり現実でありコメディであり……時にはある意味ホラーです。「身につまされるわー」という方にはもちろん「自分とは無関係」と思っている方にも、ぜひ読んでいただきたいのです。知っておいて損はない……はずです、たぶん。

最初にお断りしておきたいのですが、私には現在のシステムだの何だのを批判する気は毛頭ありません。ついでに申し上げれば、教育や子育てに対する高邁な思想なり意見も持ち合わせておりません。ただ物書きとして、何とも不思議な世界を体験しちゃったら、そりゃあ書かずにはいられないわという……まあ、サガみたいなものと言えるでしょう。

普段、家でちまちま小説を書いている私は、傍から見れば専業主婦みたいなものでしょう。けれどそんな私にも、守らなければならない締め切りはあるわけで。締め切り直前に授業参観プラス保護者会、さらに自治会の仕事なんてあるとさすがに「困った、キツい」と思います。まして三日にあげず学校に通わなきゃならないPTA執行委員となると……。ただでさえ遅い執筆ペースが、完全にストップすること請け合いです。有償・無償を問わず、受けた仕事に対しては責任が伴いますから、自然、ボランティア的なことに関しては腰が引けていき、右を見て左を見て、皆と同じ必要最低限の義務としてだけ関わっていけばいいよね、ということになりがちで。その結果、忸怩《じくじ》たる思いをずっと抱き続けることになります——人として、真っ直ぐ顔を上げて生きていきたいのに。

真面目にやれば、専業主婦もなかなか過酷な仕事です。ことに子どもを持ってからは、無報酬の仕事や義務が雨あられと降ってくる仕組みになっています。そしてまた、フルタイムで働くお母さんの忙しさときたら、もはや人間業《わざ》ではありません。八年ほど会社員をしていた経験から言わせてもらえば、仕事と作家の両立よりも、仕事と母親業の両立の方が、ずっとずっと大変なのです。

専業主婦の気持ちも、兼業主婦の気持ちもわかる、いわばコウモリ的な存在として、私にしか書けない物語がある……そう思い立ったのが、執筆のきっかけでした。また、母親業と激務との両方をこなしている女性編集者さんを見ていて、尊敬と畏怖《いふ》の念を抱いたことも。

「もっと売れそうなテーマを選べばいいのに」という声も聞こえてきそうですが、本書はある種の方々にとって、今、切実に必要とされている作品であると自負しています。ヒロイン陽子の闘いを、心から応援して下さる方もいるでしょう。反対に、「何だ、このキツくて傲慢《ごうまん》な女」と反感を抱く方もいるでしょう。その双方に、私はこの作品をお届けしたいのです。届けていらんとおっしゃる向きもおありでしょうが、ぜひぜひ受け取っていただきたいのです。


なお、本編では充分書ききれませんでしたが、「子どもたちのために」と積極的にPTA活動に携わっていらっしゃる多くの方を、私は心から尊敬しています。その中にはもちろん、男性もたくさんおられるでしょう。皆が嫌がる「長」の座を、自ら引き受けて下さる方々も。そうした方々に頭が下がりこそすれ、揶揄《やゆ》するような意図はひとかけらもないことをここに明言しておきます。

要するに、何を申し上げたいかといいますと……。

本作品はあくまでフィクションであり、実際の人物・団体・学校などとは一切無関係であることを、この場をお借りして（声を大にして）宣言させていただきます。

そして最後になりましたが、貴重なお話を聞かせていただいた女性編集者様に、心より御礼申し上げます。集英社さんはもちろん、他社の方々にもたいへん御世話になりました。正真正銘のスーパーウーマンたる皆様に、深い感謝を込めて、本書を捧げさせていただきます。どうもありがとうございました。

二〇一〇年四月

加納朋子

解説

青井夏海

「――そもそもPTA役員なんて、専業主婦の方じゃなければ無理じゃありませんか？」

PTA。

その役員決めの、どーんと重い沈黙を一度でも経験した人で、本編のヒロインにしてバリバリのワーキングマザー・陽子のこの一言に「わかるわかるっ！」と心の叫びを上げない人がいるでしょうか。

たとえば――わかるわかるっ！　無理に決まってるじゃん。だって平日の昼間だよ？　保護者会だけでもどうにかこうにか仕事をやりくりしてやっと顔を出してるのに、役員なんて引き受けられるわけないでしょうがっ！　ボランティアでしょ、強制労働じゃないんでしょ。「仕事は言い訳になりません」とか「何が何でも公平に」とかマジ勘弁して！

もしくは――わかるわかるっ！　いるのよ、こういう人。「仕事があるので」って言えば何でも通ると思ってる。そんなのそっちの都合でしょ?!　申し訳なさそうに言うならまだしも、そういう人ってなぜか上から目線。私は重要人物だから忙しいけどあなたたちはどうせ暇でしょといわんばかり。こういう勝手な人がいるから同じ人に何度も役員が回ってきちゃうのよ！

さしあたって当事者ではない人なら、何を思うでしょう。

「うわあ、お母さんってこんな苦労があったのか」とか、

「うへえ、女同士って怖《こえ》え」とか、

「子ども欲しいけどＰＴＡが無理かも……」とか？

共感、反感、同情、苦笑、高みの見物、怖いもの見たさ。あらゆる立場の人が、それぞれの思いに、あるいは身悶《みもだ》えしあるいは拳を震わせあるいは立ちすくみあるいはやれやれと首を振ったあと、つぶやくことは一つではないでしょうか。

「で――どうするの陽子、それ言っちゃって！」

『七人の敵がいる』は「小説すばる」二〇〇九年四月号から二〇一〇年四月号に隔月連載された「痛快ＰＴＡエンターテインメント小説」です。

出版社勤務の多忙な編集者として、出張も徹夜も辞さない激務をこなす陽子が、一人

息子・陽介の小学校入学で直面する役員決めと保護者参加イベントの嵐。「無理ですね」「大事な仕事がありますので」「全然無理です」「ほんと無理です」「絶対無理です」——一つ断るごとにクラスで孤立しご近所で孤立し、連絡網はわかりやすく飛ばされモンスターペアレントのレッテルは貼られ——

何これ、おもしろすぎる！　という一読者としての興奮と、こんなことが小説になるなんて……!!　という現役小学生母としての快哉《かいさい》。連載第一回を読んだ時の胸のすく思いは今も忘れることができません。

だって、それまで小説やドラマの「ＰＴＡ」といったら、お高くとまったザアマス夫人とそのお取り巻き連中が、要領の悪い若いママをいびったり、偏狭な正義を振りかざして先生を批判したり、世界の道徳を代表するがごとく「不純」や「不潔」や「不健全」を糾弾したり。「これだから主婦って……」「ああはなりたくないわよねー」なんて、呆れたりせせら笑ったりしながら見物していた若き日々は、正直、私にもございます。

ですが、実際に小学生の親となり、現実のＰＴＡデビューをしてみると、どうでしょう。そんなザアマス夫人、どこにいます？　お取り巻き連中は？　ましてや先生を批判なんてとんでもない。道徳を代表？　ないない！　もうね、ひとたび足を踏み入れたが最後、通学路の旗持ち当番やらベルマーク集計やら定例会やらＰＴＡだよりの原稿〆切やら市Ｐ連活動報告会やらその議事録作成やら教職員用トイレのお掃除やら、目先のことに追われつまずき振り回されて削れるものは睡眠時間しかないんですから。いったい誰なんでしょうか、あんなPTAの虚像をデッチ上げたのは。

明白ですね。それは、PTAをやったことのない人です。知らないからこそ、信じていられるんです。どこの学校でも、PTAの名のもと、徒党を組んで教育現場をかき回す傍迷惑《はためいわく》な奥様集団が幅をきかせているものだなんて根拠のない前提を。

違います。PTAはそんな恐ろしいところじゃありません。

もっと恐ろしいところです。

やっと本当のことを言ってくれる人が現れた――『七人の敵がいる』の痛快無類たる所以《ゆえん》はまさしくそこにあります。


本当のことなんて、思ってもなかなか言えませんからね。ことPTAに関しては。

私の住んでいるところでは、入学早々どころか、入学前に行われる役員決めなんていうのもありますが、みなさんのところはいかがでしょうか。私の場合ですと、入学予定児童の保護者が集められた席で「連絡係のようなもの」との説明を受け、「役員は無理だけど、連絡係のようなものなら」と思ってお引き受けしたらそれが役員でした。

ええっ?! まだ入学してもいない学校の、入会してもいないPTAの役員に、どうしていきなりなっちゃうわけ? まさに、PTAの恐ろしさを知らなかったがゆえの地獄の一丁目。なにも特殊なケースを語っているつもりはありません。この程度のことなら日本全国どこででも起きているし、もっと理不尽なことを経験した人もちっとも珍しくないだろうと、今なら容易に想像がつきます。

「なぜ黙ってるの？　おかしいことはおかしいって言わなきゃダメじゃない！」

とお思いの方もいらっしゃるでしょう。

答えは簡単。言うほうがよっぽど面倒だからです。言えば言っただけ、「じゃあ、あなたがそれをやってよ」と何倍にもなって返ってきたり、作らなくていい敵を作ったりしかねないのはどんな組織も同じこと。今あるPTA業務があまりに過酷だから何とかしたいと思っているのに、そのために今以上のあれやこれやを背負い込むんじゃ本末転倒、自分の首をいっそうきつく絞め上げるだけです。

そこに地域のお付き合いや、何より我が子の学校生活という、イヤだからといってやめるわけにいかない諸々の問題が絡んでくるとなれば、誰しも慎重になるのは無理からぬこと。PTAの本当に恐ろしいところは、おかしなことが平然とまかり通っていること、ではなく、それに対して誰も何も声を上げず、昭和が平成に変わっても二十世紀が二十一世紀になっても、その同じおかしなことが動画のリプレイのように毎年律儀に繰り返されることといえましょう。

いったい黒幕は誰？　ただ子どもに地元の公立校で義務教育を受けさせるというそれ

だけのことを、こんなに苦しくややこしくしている張本人はどこにいるの？　というと、そんな腹黒い人なんてどこにもいないのです。執行部から末端の平役員に至るまで、こんなこと引き受けさえしなければと苦い思いを嚙《か》みしめる瞬間は多々あれど、やるからには気持ちよくやりたいと愚痴や不平を封印し、優しい笑顔で臨んでいる人が大多数ではないでしょうか。だからなおさら何も言えなくなってしまう。それがＰＴＡの恐ろしさ——言い換えるなら、人間関係の奥の深さの最たるものかもしれません。

「専業主婦の方じゃなければ無理じゃありませんか？」なんて無防備に口にしてしまう陽子は、空気が読めないのもさることながら、手近な「敵」を特定すれば目の前の問題は解決するものと、この時はまだ単純に考えていたのに違いありません。

それだけなら、それを言っちゃうだけの人なら、あなたは読者も敵に回したよ、陽子。でも、全然無理、絶対無理と言いながら、陽子って結局全部受けて立ってないですか？　ＰＴＡ役員だって、断固拒否し続けたわけじゃありません。腹をくくって一度は手を挙げたのに、ありがちな、しかし陽子にとっては啞然《あぜん》呆然とするほかない、とある経緯によって辞退という結末に終わったのです。以降、こなした役員は、学童保育所父母会、自治会、陽介のスポーツ少年団父母会、そして捲土重来《けんどちょうらい》の（？）ＰＴＡ。渡り合った「敵」、七人。

そしてその過程で思い知ります。「暇な専業主婦」と内心軽蔑していた人びとが、何を背負って専業主婦をしていたか。仕事を続ける理由も人それぞれなら続けない理由も人それぞれ。少なくとも続けられるということは、自分も家族も健康で、働き口もあり、支えてくれる人がいるということ。立場の異なる人を、知りもしないで「だから××は」なんて見下すことがどんなに傲慢か。一つ事の当事者として、お互い無我夢中で関わり合ったからこそ、思い知り、恥じ入り、真に心を開くことができたのです。

『七人の敵がいる』というタイトルの、本当の意味がわかるおしまいの一ページの爽快さが、一人でも多くの読者の胸に届くようにと願ってやみません。

著者の加納朋子さんは、一九九二年、第三回鮎川哲也賞受賞作『ななつのこ』でデビュー。この文庫が出る二〇一二年には作家生活二十年になります。

節目の年を記念するかのように、真琴つばささん主演、小林幸子さん共演によるドラマ「七人の敵がいる！　～ママたちのＰＴＡ奮闘記～」がオンエア（二〇一二年四月～六月、フジテレビ系列）！　ドラマをきっかけにいっそう読者が増えると思うと、陽子ファン、加納ファンの一員として喜ばしいかぎりです。

本書が初めての加納作品で、次はどれを読もうかしらとお考えの方は、『レインレイン・ボウ』『月曜日の水玉模様』（いずれも集英社文庫）をお手に取ってごらんになるときっといいことがありますよ。

そしていつの日かまた、そう、おばあちゃんになってもブルドーザーの陽子とどこかで会えたら嬉しいですね。

初出誌「小説すばる」

第1章	女は女の敵である	2009年4月号
第2章	義母義家族は敵である	2009年6月号
第3章	男もたいがい、敵である	2009年8月号
第4章	当然夫も敵である	2009年10月号
第5章	我が子だろうが敵になる	2009年12月号
第6章	先生が敵である	2010年2月号
第7章	会長様は敵である	2010年4月号

この作品は2010年6月、集英社より刊行されました。

集英社文庫

七人《しちにん》の敵《てき》がいる

2012年3月25日　第1刷　　定価はカバーに表示してあります。
2017年9月6日　第3刷

著　者　加納朋子《かのうともこ》

発行者　村田登志江

発行所　株式会社　集英社
東京都千代田区一ツ橋2-5-10　〒101-8050
電話　【編集部】03-3230-6095
【読者係】03-3230-6080
【販売部】03-3230-6393(書店専用)

印　刷　凸版印刷株式会社

製　本　凸版印刷株式会社

フォーマットデザイン　アリヤマデザインストア　　マークデザイン　居山浩二

ISBN978-4-08-746805-2 C0193